KB020416

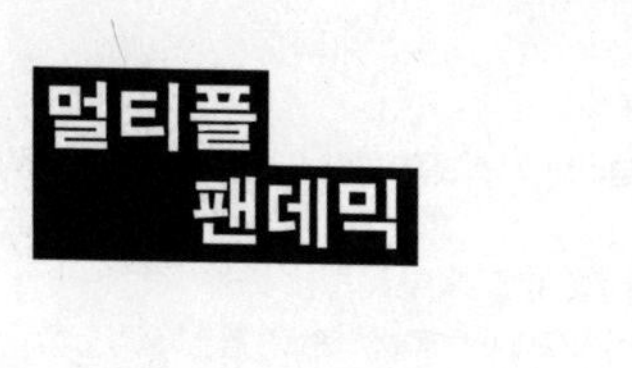
멀티플
팬데믹

멀티플 팬데믹

세계 시민, 코로나와 부정의를 넘어 연대로 가는 길을 묻다

1판 1쇄 2020년 7월 31일
기획 유네스코 아시아태평양 국제이해교육원
지은이 기모란 김의영 김창엽 박순용 백영경 손철성 유현재 임현묵 조한승 최종렬
펴낸곳 이매진 **펴낸이** 정철수
등록 2003년 5월 14일 제313-2003-0183호
주소 서울시 은평구 진관3로 15-45, 1018동 201호
전화 02-3141-1917 **팩스** 02-3141-0917
이메일 imaginepub@naver.com
블로그 blog.naver.com/imaginepub
인스타그램 @imagine_publish
ISBN 979-11-5531-117-2 (03300)

- 환경을 생각해 재생 종이로 만들고, 콩기름 잉크로 찍었습니다. 표지 종이는 앙코르 190그램이고, 본문 종이는 그린라이트 70그램입니다.
- 값은 뒤표지에 있습니다.
- 이 도서의 국립중앙도서관 출판시도서목록(CIP)은 서지정보유통지원시스템 홈페이지(http://seoji.nl.go.kr)와 국가자료공동목록시스템(http://www.nl.go.kr/kolisnet)에서 이용하실 수 있습니다(CIP 제어 번호: CIP2020029959).

멀티플
팬데믹
세계 시민
코로나와 부정의를 넘어
연대로 가는 길을 묻다
유네스코 아시아태평양
국제이해교육원 기획
기모란 김의영 김창엽 박순용 백영경
손철성 유현재 임현묵
조한승 최종렬 지음
이매진

차례

머리말

멀티플 팬데믹 시대, 어떻게 연대하고 협력할까?

임현묵

인류는 팬데믹 위기를 어떻게 극복할까? 감염병이란 무엇일까? 위기 이후의 세계는 무엇이 달라질까? 위기 상황에서 나와 공동체의 안전을 위해 우리는 어떻게 행동해야 할까? 전세계가 한국이 거둔 케이K 방역을 칭찬하는데, 잘한 일은 무엇이고 잘못한 점은 무엇일까? 잘못한 점을 고치려면 우리는 어떤 노력을 기울여야 할까?

《멀티플 팬데믹》은 이런 질문에 '시민의 관점'에서 답하려 한다. '코로나 바이러스 감염증-19'(코로나19)를 비롯한 감염병의 확산을 막고 소중한 생명을 지키는 데에는 정부와 전문가, 보건 당국과 의료진이 절대적으로 중요한 구실을 하지만, 거기에 못지않게 시민의 생각과 행동이 필수적이라고 보기 때문이다. 시민의 연대와 협력이야말로 팬데믹 위기를 극복하고 위기 이후에 더 나은 세상을 만드는 열쇠라고 믿기 때문이다.

민주주의의 힘

정부 당국과 의료진만 헌신적으로 노력한다고 해서 바이러스의 확산을 멈출 수는 없다. 시민이 참여하고 협조하지 않으면 밑 빠진 독에 물 붓기가 될 뿐이다. 참여와 협조는 어디에서 나올까? 정부가 명령하고 강제하면 될까? 그렇게 한 나라도 있다. 어떤 이들은 한국을 비롯한 동아시아 나라들이 코로나19 대응을 비교적 잘한 이유가 과거에 독재를 경험해서 시민이 정부 지시에 잘 따르는 경향이 있기 때문이라고 한다. 그런 면이 있을지도 모른다.

확산세가 진정되면서 한국 사회의 높은 시민 의식과 민주주의의 힘에 주목하는 언론 보도가 나라 안팎에서 줄을 이었다. 한국은 시민의 자발적 참여와 협조라는 민주주의의 원칙을 지키면서 방역 정책을 폈고, 그런 정책이 성공할 수 있다는 사실이 주목받았다. 한국 사례에 독재의 경험보다는 민주주의와 공동체 정신이 더 큰 영향을 미친 점은 몇몇 설문 조사에서도 잘 드러났다.

불평등과 차별을 실질적으로 줄이기보다는 희생양을 만들고 불만을 돌려 위기를 모면하려는 정치 지도자와 지지자들이 적지 않다. 이방인 혐오와 인종적 공포를 자극하는 배타적 민족주의의 망령을 불러내고, 경제적 보호주의와 고립주의가 살길이라고 선동한다. 반면 한국은 국경을 폐쇄하지 않는 개방성 원칙을 유지했다. 외국인 입국을 제한하지 않은 채 다른 나라에 마스크나 진단 키트 같은 의료 물품을 지원하거나 수출했다. 더 나아가 국제 연대와 협력만이 이번 위기를 극복하는 길이라는 점을 계속 강조했다.

한국 시민은 충분히 자부심을 느낄 만하지만 지나친 '국뽕'은 곤란하다. 위기는 아직 끝나지 않았다. 자기도취에 빠져 방심하는 순간, 힘들게 쌓아 올린 방역의 성과는 하루아침에 허물어질 수 있다. 정부 대처만이 아니라 시민들의 행동에서 잘못된 점이나 아쉬운 점이 있는지 짚어봐야 한다. 이렇게 얻은 교훈은 시민들의 변화된 행동으로 이어져야 한다. 또 다른 팬데믹이 이미 우리 곁에 다가오고 있기 때문이다.

차별과 혐오, 그리고 불평등

바이러스는 인종, 국적, 계층, 종교, 성별을 따지지 않는다지만, 사람들은 특정 집단과 바이러스를 동일시하면서 공격했다. 유럽과 북미에서 아시아인을 향한 낙인, 혐오, 폭력이 늘어났지만, 아시아도 상황은 다르지 않았다. 한국에서도 중국인과 중국 국적 동포를 혐오하고 배척한 사례가 적지 않았는데, 이런 태도나 행동은 외국인만 겨냥하지도 않았다. 대구에서 많은 확진자가 나오자 대구 시민이 비방과 혐오의 대상이 됐고, 이태원 클럽에서 확진자가 발생하자 특정 성적 정체성을 향한 편견과 차별 때문에 클럽 방문자들이 감염 검사를 두려워하는 일이 벌어지기도 했다. 혐오와 차별은 위기를 해결하는 데 아무런 도움도 안 되며, 오히려 방해만 될 뿐이다.

불평등은 차별이나 혐오하고 떼려야 뗄 수 없는 관계를 맺는다. 차별과 혐오라는 독버섯은 불평등을 숙주 삼아 번지기 때문이다. 다른 많은 나라처럼 한국에서도 사회적 약자와 취약 계층이 코로나 바이러스의 위험에 더 많이 노출됐다. 몸이 아파도 쉬지 못하고 일해야 하고, 재택근무를 하고 싶어도 할 수 없는 이들을 위한 안전 대책은 안타깝게도 바이러스보다 한발 늦게 나왔다. 코로나19 때문에 취약 계층 안전망이 부실한 한국 사회의 민낯이 고스란히 드러났다.

팬데믹은 불평등을 더 키울 수 있다. 한 나라 안에서 피해는 취약 계층에 집중되고, 국제적으로도 가난한 나라가 훨씬 더 큰 피해를 받고 있다. 취약 계층에 집중된 피해는, 범위를 넓혀서 보면 부자 나라보다 가난한 나라에서 훨씬 더 커지고 있다. 그런 만큼 다른 위기 때처럼 이번 위기도 이전부터 심각하던 국내외 불평등을 더 악화시킬 수 있다.

지금 미국과 유럽에서는 인종 차별에 관련된 인물들을 조각한 동상을 철거하는 운동이 거세게 번지고 있다. 아프리카계 미국인이 백인 경찰관 무릎에 목이 짓눌려 숨진 조지 플로이드 사건에서 시작된 '흑인의 목숨도 소중하다Black Lives Matter' 운동이 세계적으로 확산되면서 인종주의와 제국주의 역사를 반성하는 움직임이 활발하다. 이런 운동은 더욱 깊어진 경제적 불평등과 거기에 맞물린 오랜 차별 구조를 바꿀 수 있을까?

멀티플 팬데믹

안 좋은 일은 겹쳐서 온다는 말이 있다. 지금이 딱 그렇다. 코로나19 팬데믹이 온 세계를 휩쓸면서 경제적 피해가 눈덩이처럼 불어나고 많은 사람이 생계를 걱정해야 할 처지로 내몰리고 있다. 코로나19 팬데믹이 경제 팬데믹을 불러온 셈이다. 이 틈에 인종주의, 배타주의, 차별과 혐오가 곳곳에서 고개를 들고 있다. 사회 심리적 팬데믹이라고 할까. 여기에 기후 위기와 생태 위기도 심상치 않다. 그야말로 '멀티플 팬데믹'이다.

우리는 바이러스가 일으킨 글로벌 감염병을 뛰어넘는 '멀티플 팬데믹'을 마주하고 있다. 코로나19에 더불어 대두된 경제 불평등, 인종주의와 배타주의, 차별과 혐오, 기후 위기와 생태 위기는 물론 새로운 현상이 아니라 이전부터 있던 문제들이다. 다만 문제의 심각성이 코로나19를 계기로 한층 더 적나라하게 드러났을 뿐이다.

이런 문제들은 서로 복잡하게 얽혀 있다. 빈부 격차는 인종 차별이나 혐오에 맞물려 있고, 기후 변화나 생태계 파괴도 불평등이나 차별에서 동떨어진 문제가 아니다. 감염병을 극복하는 데 백신과 치료제뿐 아니라 국제적 협력이 필요하듯, 서로 얽혀 있는 멀티플 팬데믹을 해결하려면 이 문제들을 비판적으로 인식하고 함께 위기를 헤쳐 나갈 연대와 공동 행동이 절실하다.

국제 연대와 세계시민교육

팬데믹 위기에 대응하려면 국제 연대와 협력이 필수적이다. 빈부 격차, 인종, 민족, 종교, 성별을 떠나 하나로 연결된 이 세계에서 내가 안전하려면 다른 사람도 안전해야 한다. 다른 나라가 위험한데 자기 나라만 안전할 수는 없다.

한마디로 나라 안팎으로 시민의 연대와 협력을 강화하는 길만이 이 위기를 극복하고 나아가 다시 드러난 불평등과 차별 같은 문제를 해결하는 열쇠다. 불평등을 줄이고 차별과 혐오를 차단하는 일을 정부에게만 맡겨놓을 수는 없다. 시민의 감시와 견제가 없으면 정부는 자칫 책임을 회피하거나 불만의 초점을 외부로 돌리려 할 수 있다. 불평등을 확대하는 세계화가 아니라 불평등을 완화하는 데 도움이 되는 대안적 세계화를 추구하도록 정부와 기업에 압력을 넣는 일도 세계 시민들이 연대하고 협력해야 비로소 가능하다.

시민의 연대와 협력을 촉진하는 계기가 바로 세계시민교육이다. 세계시민교육은 인종주의, 외국인 혐오, 보호주의를 부추기는 선동을 비판적으로 판단해서 물리치기 위해 동료 시민들하고 연대하고 협력할 수 있게 해준다. 나아가 불평등과 차별을 유지하고 심화시키는 사회 구조와 국제 질서를 비판적으로 인식하고 개혁하기 위한 세계 시민의 공동 행동을 가능하게 해준다.

코로나19는 불평등과 생태 위기가 연결된 현실을 보여줬다. 불평등이 심해지면서 사람들은 먹고사느라 생태계를 파괴할 수밖에 없었고, 야생 동물을 접촉할 기회가 늘어나 인수 공통 전염병이 발생할 확률도 높아졌다. 여기에 기후 위기로 생태계 파괴가 더 빨라지고 있으니 엎친 데 덮친 격이 아닐 수 없다. 기후 위기와 생태 위기에 관한 인식과 경각심을 높이고 위기를 해결하기 위한 공동 행동도 세계시민교육이 가져올 수 있는 중요한 변화다.

모든 나라가 바이러스 확산을 막으려 안간힘을 쓴다. 순서와 경중의 차이는 있을지언정 코로나19 팬데믹 위기를 비켜간 나라는 이 지구상 그 어디에도 없다. 우리는 모두 하나로 연결된 세계에서 살고 있다는 사실을, 그리고 이 사실이 우리 각자의 삶에 얼마나 중대한 영향을 주는지를 절감하고 있다.

이 위기는 정부나 전문가의 힘만으로 극복할 수 없다. 민주주의 사회의 주인인 시민으로서 우리가 하는 책임 있는 행동이 결정적으로 중요하다. 우리 시민 각자가 이번 사태를 맞아 한 행동을 되돌아보면서 이 위기뿐 아니라 위기 이후를 위해 어떤 교훈을 얻어야 할지 생각하는 데 이 책이 도움이 되기를 바란다.

촉박한 요청에도 취지에 공감하고 귀한 글을 써주신 기모란, 김의영, 김창엽, 박순용, 백영경, 손철성, 유현재, 조한승, 최종렬 교수님과, 어지러운 원고를 잘 다듬어 좋은 책으로 내준 출판사 이매진에 감사드린다. 아울러 이번 기획을 담당한 유네스코 아태교육원 엄정민 실장과 지선미 전문관의 노고에도 감사의 마음을 전한다.

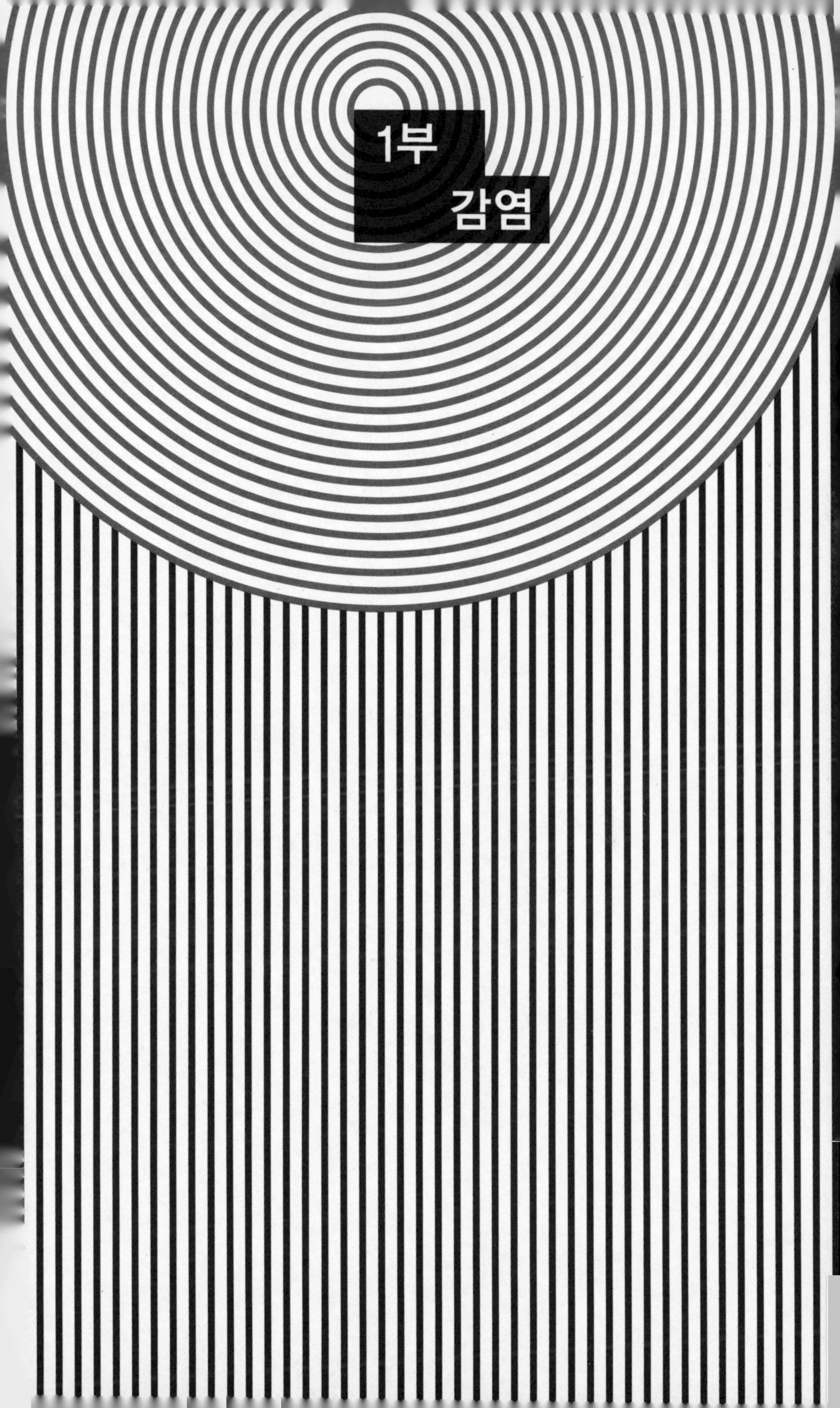

1부 감염

1장

바이러스 감염병이란 무엇일까?

기모란

'확진 환자 12,563, 격리 해제 10,974, 사망자 282, 검사 진행 18,900.' 2020년 6월 25일 00시 현재 위기 경보 '심각' 단계인 한국의 '코로나 바이러스 감염증-19' 현황이다. 클릭만 하면 전국 발생 현황, 지역별 확진자 현황, 확진자 동선, 코로나19 팩트체크 등을 함께 확인할 수 있다. 나도 코로나19에 걸릴지 모른다는 두려움과 내가 코로나 바이러스를 퍼트릴 수 있다는 불안함이 팬데믹의 시대를 관통한다. 우리는 지금 바이러스 감염병이 무엇인지, 코로나 바이러스 역학은 또 뭔지, 감염병 관리를 위한 '포스트 코로나 뉴 노멀'은 뭘 말하는지 알아야 한다.

바이러스 감염병

바이러스

바이러스virus는 다른 유기체의 살아 있는 세포 안에서만 활동하는 생물과 무생물의 중간적 존재(반생물)다. 따라서 생물의 특징과 무생물의 특징을 함께 가지고 있다. 바이러스의 생물적 특성은 첫째, (숙주 세포의 효소를 이용한) 물질 대사가 가능하고, 둘째, 증식, 유전, 적응 등의 생명 현상을 나타내고, 셋째, 자기 복제가 가능해 돌연변이가 나타날 수 있다 등이다. 바이러스의 무생물적 특성은 첫째, 핵이 없고 세포막 등의 세포 기관도 없으며, 둘째, 독립적인 효소가

그림 1 코로나19 바이러스 구조도

(출처: http://plug.hani.co.kr/futures/3876779)

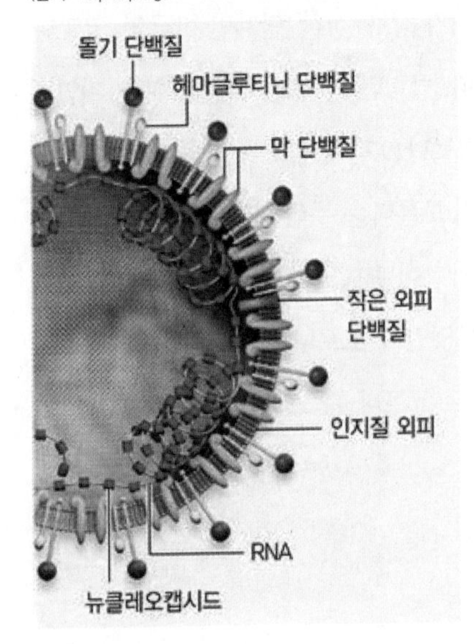

그림 2 코로나19 바이러스 구조도

겉에 툭 튀어나온 부분(빨간색)이 세포 침투할 쓰는 돌기 단백질이다.

(미국 질병예방통제센터 제공)

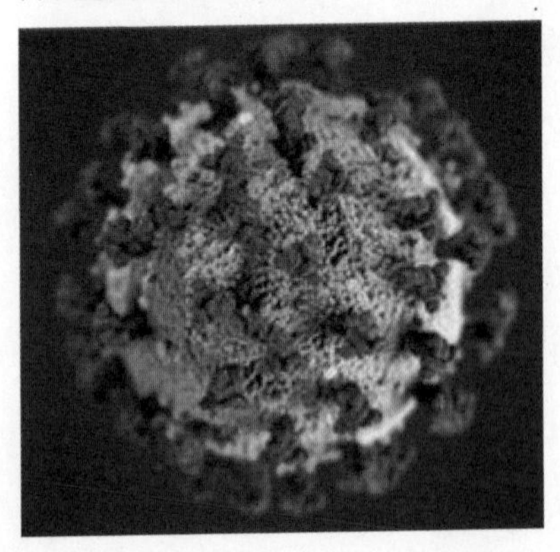

없어 독립적 물질대사가 불가능하고, 셋째, 생물체 밖에서는 결정체로 존재한다 등이다.

바이러스는 아르엔에이RNA나 디엔에이DNA 같은 유전 물질과 그 주위를 둘러싼 단백질 껍질(캡시드)로 구성된다. 단백질 껍질말고 지질로 구성된 막을 가지기도 한다(**그림 1**).

바이러스가 인체에 침투해 감염을 일으키려면 숙주 세포 안으로 들어가 세포 안에서 원래 작동하던 유전자 발현 과정에 끼어들어 자신의 유전체가 복제되게 해야 한다. 복제 과정에서 바이러스 유전자는 숙주의 유전자하고 섞이는 사례가 많기 때문에 변이가 빠른 편이다. 특히 인플루엔자나 코로나 같은 아르엔에이 바이러스는 디엔에이 바이러스보다 변이가 매우 빠르다. 이렇게 복제된 유전체들은 새로운 바이러스 개체가 돼 숙주 세포 밖으로 나간 뒤 새로운 숙주로 향한다.

코로나 바이러스

코로나 바이러스라는 이름은 이 바이러스를 전자 현미경으로 관찰하면 마치 코로나(왕관) 같은 모양이어서 붙었다(**그림 2**).

코로나 바이러스는 아데노 바이러스, 리노 바이러스하고 함께 사람에게 감기를 일으키는 3대 바이러스로 꼽힌다. 사람에게 감염을 일으키는 코로나 바이러스는 모두 7가지가 밝혀졌다. 감기를 일으키는 4가지 변종, 폐렴을 일으키는 2가지 변종인 중증 급성호흡기

그림 3 코로나19 바이러스인 'SARS-CoV-2'의 계통 분류 그림

(《네이처》 제공)

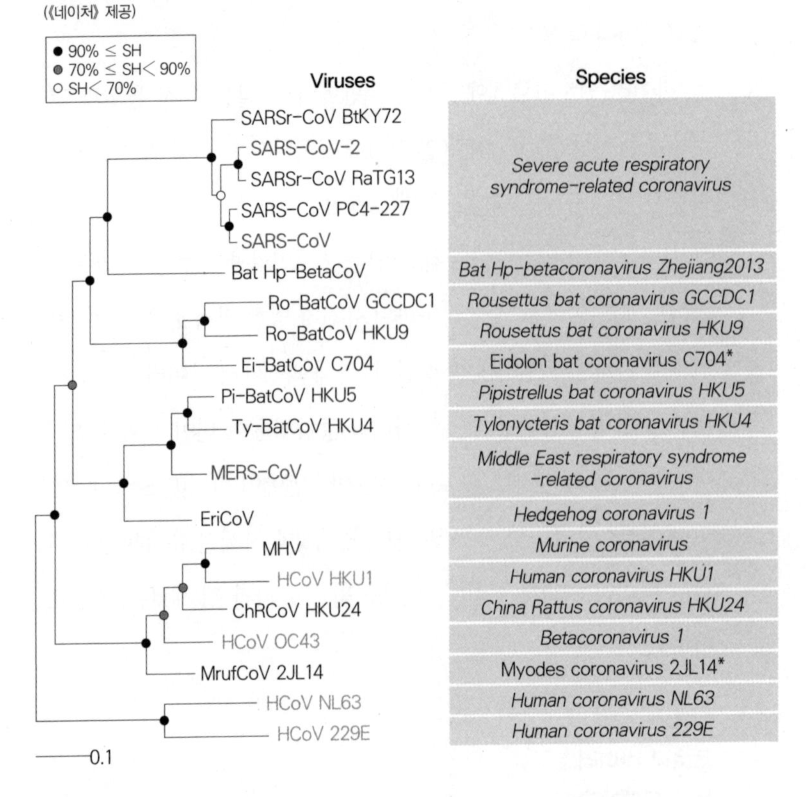

증후군(사스SARS), 중동 호흡기 증후군(메르스MERS), 7번째 변종인 코로나19 등이다. 코로나19를 일으키는 이 새로운 변종과 사스 코로나 바이러스의 유전적 일치율은 79.5퍼센트였고, 메르스 바이러스의 일치율은 50퍼센트에 불과했다. 그래서 이 바이러스는 'SARS-CoV-2'로 불리게 됐다(**그림 3**).

세계보건기구WHO가 2020년 2월 11일에 발표한 코로나19 감염병의 정식 이름은 '코비드-19COVID-19'다. 'CO'는 '코로나corona', 'VI'는 '바이러스virus', 'D'는 '질환disease', '19'는 발생 연도인 '2019년'을 뜻한다. 이름에 붙은 발생 연도는 세계보건기구가 코로나 바이러스 감염병이 언제든 또 일어날 수 있다는 사실을 염두에 두고 있다는 점을 말한다. 한국은 '코로나19'로 부르고 있다.

빠르고 강한 전파력

세포 친화력이 강한 코로나 바이러스는 폐의 하부 대신 상부 호흡기관(구강, 인후, 기관지 상부)에서도 증식해서 작은 기침에도 몸밖으로 쉽게 튀어나온다. 또한 감염 초기에 아주 많은 바이러스가 배출된다. 독일 연구진이 경증 환자를 대상으로 분석한 결과를 보면, 바이러스 농도는 감염 뒤 4일째에 정점을 찍었다. 이 시점에 환자 인후두에서 채취한 표본 1개당 바이러스 수는 7억 개였다. 2003년에 유행한 사스 때의 최대 검출량 50만 개보다 1000배 넘게 많았다. 5일 뒤부터는 바이러스 수가 천천히 줄었고, 10일이 지나면서 감염력이 사라졌다. 감염 초기에 환자 격리가 매우 중요하다는 사실을 보여준다.

코로나19의 중간 숙주는 어떤 동물일까? 코로나 바이러스의 숙주는 인간과 포유동물, 조류다. 2002년 사스는 고양이, 2012년 메르스는 낙타가 중간 숙주 구실을 했다. 한때 중국에서 불법 거래되는 천산갑이 중간 숙주라는 논문이 발표됐다. 천산갑은 비늘처럼 생긴 두꺼운 등껍질을 지닌 야행성 포유동물이다. 그런데 게놈 일치율은

90.3퍼센트로 낮았다. 반면 박쥐 코로나 바이러스는 96퍼센트의 일치율을 보였다. 사람과 박쥐는 같은 포유류라서 종간 감염 장벽이 낮다. 사람이 동굴에 사는 박쥐를 접촉할 일이 거의 없어서 대개 중간 숙주를 거쳐 전파된다.

중간 숙주 문제는 좀더 연구해야 한다. 과학자들은 중간 숙주를 거치든 아니든 코로나19가 사람에게 전파된 시기는 2019년 11월 초에서 중순 사이로 추정한다. 초기에 검출된 코로나19 바이러스 사이의 변이 정도가 매우 작다는 점이 근거다.

코로나 바이러스 역학

감염병 역학의 주요 개념

'감염병infectious disease'은 병원체와 숙주 간 면역과 병리적 과정을 거쳐 질병이 발생한다는 측면에서 붙은 이름이고, '전염병communicable disease'은 전파 과정을 거쳐 질병이 발생한다는 측면에서 붙은 이름이다. 따라서 감염병이 좀더 큰 개념이다. 한국은 '전염병 예방법'을 2010년에 '감염병 예방 및 관리에 관한 법률'로 바꿨다.

'풍토병endemic disease'이란 병원체가 지역 사회나 집단에 지속적으로 존재해 일정 수준의 감염을 유지하는 감염병을 말한다. 한 지역에서 장티푸스가 큰 차이 없이 지속적으로 발생하면, 이 지역 사회에서 장티푸스는 풍토병이다. '유행병epidemic disease'은 한 지역 사회나 집단에 평소에 나타나던 수준 이상으로 많이 발생하는 상태의 질병을 말한다. 유행 정도를 판단하려면 반드시 현재와 과거의 발생 수준을 비교해야 한다. 감염병이 두 개 대륙 이상 또는 전세계처럼 넓은 지역에서 발생하면 '대유행pandemic'이라고 하며, 감염병이 동물에서 유행하면 '동물 유행epizootic'이라고 부른다.

병원체가 숙주에 침입한 뒤 표적 장기에 이동하고 증식해 일정 수준의 병리적 변화가 있으면 '증상symptom'(두통 같은 주관적인 것)과 '증후sign'(체온 38도 같은 객관적인 것)가 발생하는데, 이 기간을 '잠복기incubation period'라고 한다. 감염이 일어날 때 병원체가 표적 장기로 이동해 증식하는 동안에는 인체나 분비물에서 병원체가 발견되지 않는데, 이 기간을 '잠재 기간latent period'이라고 한다. 이 기간이 지나면 조직, 혈액, 분비물 등에서 균이 발견되기 시작하는데, 이때를 '개방 기간patent period'이나 '감염 전파 기간period of communicability'이라고 한다. 숙주의 저항력이 증가하면 체내에서 병원체가 감소하고 균 배출이 종결된다. 그러나 숙주가 병원체를 만성적으로 보유해 병원체를 지속적으로 배출하기도 한다. '세대기generation time'란 감염 시작 시점부터 균 배출이 가장 많아 전파력이 가장 높은 시점까지 이르는 기간을 뜻한다. '증상 간격(또는 연속 감염 간격serial interval)'은 첫 환자의 증상이 시작된 시점부터 감염이 전파된 다음 환자의 증상이 시작되는 시점까지 기간이다. 세대기를 측정하기 어려울 때는 증상 간격으로 환자 수 증가 양상을 추정한다. 따라서 세대기와 증상 간격은 감염병 관리에 중요한 개념이다.

감염병의 전파 양상을 이해하려면 잠복기와 세대기 간의 관계를 이해해야 한다. 일반적으로 호흡기 감염병은 잠복기 말기부터 증상 발현 기간 초기에 걸쳐 기침에 따른 비말과 객담, 콧물 같은 분비물이 증가해 병원체가 많이 배출돼 전파력이 강하고, 이 시기가 지나면 전파력이 준다. 이를테면 볼거리(유행성 이하선염)는 임상 증상이 나타나기 3일 전부터 바이러스가 배출되기 시작해 증상 발현 뒤 4일까지 배출된다. 따라서 호흡기 감염병은 증상이 시작된 뒤에 격리를 하면 효과가 떨어진다. 반면 소화기 감염병은 일반적으로 증상이 시작된 뒤에 병원체가 배출되는 만큼 환자를 발견한 뒤에 격리 조치를 해도 효과적이다. 그렇지만 증상이 사라진 뒤에도 지속적으로 병원체를 배출하므로 격리를 이어가야 한다.

감염은 또한 증상이 나타나지 않는 '불현성 감염inapparent infection'(또는 무증상 감염)과 증상이 나타나는 '현성 감염'(또는 증상 감염)으로 나눈다. 현성 감염은 증상의 중증도에 따라 구분하며, 중증도는 병원에서 외래 진료와 입원 치료를 구분하는 주요인이다. 불현성 감염은 감염의 전체 규모를 파악하고 발생 규모를 예측하는 데에도 중요하다. 현성 감염과 불현성 감염이 차지하는 비율은 감염병 종류나 환자의 감염 연령 등에 따라 다르다. 이를테면 홍역은 대부분의 감염자가 현성 감염이고, 폴리오는 거의 대부분이 불현성 감염으로 감염자의 100분의 1에서 1000분의 1만 임상 증상을 나타낸다. 불현성 감염의 비율이 높은 감염병에서 임상 진료를 통해 발견되는 현성 감

그림 4 인구 집단에서 감염자의 중증도에 따른 분포

	감염				
N: 감수성 있는 대상자 총 수	불현성 감염 무증상 감염(A)	현성 감염(질병)			
		경미한 증상(B)	중증도 증상(C)	심각한 증상(D)	사망 (E)

염자는 전체 환자의 빙산의 일각인 만큼 전체 감염자를 파악하려면 혈청학적 검사를 실행하고 감염병 관리에 주의를 기울여야 한다.

현성 감염이라도 병원을 찾지 않으면 진단이 되지 않고, 병원을 찾더라도 전형적인 증상이 나타나지 않거나 의사가 검사실 진단 없이 증상에 따라 치료하는 사례도 있다. 따라서 신고와 보고를 통해 수집된 감시 체계 자료는 불현성 감염이 차지하는 비율은 물론 진단의 완전성과 정확성을 고려해 해석해야 한다. 불현성 감염자(건강보균자 등)와 진단이 되지 않은 사례도 병원체를 배출하는 주요한 병원소이므로 감염병 관리에서 중요하게 고려할 필요가 있다.

다음으로 병원체와 숙주 간의 상호 작용 지표를 살펴보자. 인구 집단에서 감염이 발생하면 **그림 4**처럼 증상 정도에 따라 감염자를 구분할 수 있다. 이런 분포에 따라 감염병의 감염력, 병원력, 독력 등을 평가해야 한다.

감수성 있는 대상자 총수를 엔N이라고 할 때 '감염력infectivity'이란 병원체가 숙주 안에 침입하고 증식해 숙주에 면역 반응을 일으키게 하는 능력이다. 감염력 지표로 쓰이는 'ID50infectious dose to 50 percent of exposed individuals'은 병원체를 숙주에 투여할 때 숙주의 50퍼센트에게 감염을 일으키는 최소한의 병원체 수다. 역학적인 방법으로 감염력을 평가할 때는 아래처럼 산출할 수 있다.

$$\text{감염력}(\%) = \frac{(A+B+C+D+E)}{N} \times 100$$

'병원력pathogenicity'은 병원체가 현성 감염을 일으키는 능력을 말하는데, 감염된 사람들 중에서 현성 감염자의 비율로 계산한다.

$$\text{병원력}(\%) = \frac{B+C+D+E}{A+B+C+D+E} \times 100$$

'독력virulence'은 현성 감염자 중에서 매우 심각한 임상 증상이나 장애를 초래한 정도를 말한다. 가장 심각한 질병의 결과인 사망은 '치명률case fatality rate'이라는 지표로 나타낸다.

$$\text{치명률}(\%) = \frac{E}{B+C+D+E} \times 100$$

코로나19의 역학적 특징

코로나19의 잠복기는 4일(중위수)이고, 보통 2일~14일(95퍼센트 신뢰 구간)로 보고 있다. 세대기도 4일, 증상 간격도 4일 정도다. 가장 흔한 증상은 발열과 기침이지만, 냄새를 맡지 못하거나 맛을 느끼지

그림 5 코로나19 감염의 잠복기와 전염기

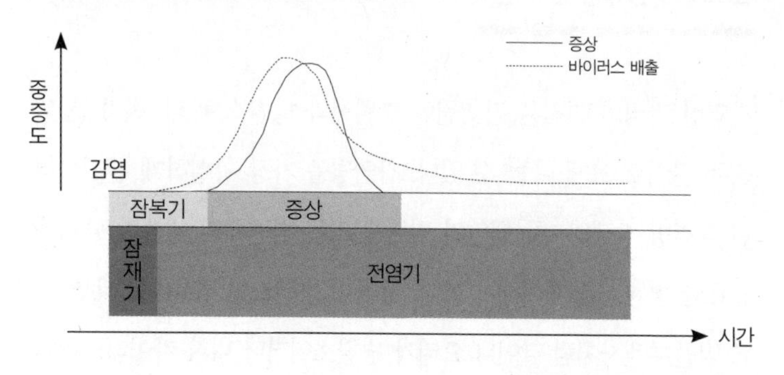

못하는 비율도 50퍼센트 정도로 보고되고 있다. 무증상 감염자 비율은 지역 사회 혈청 검사까지 시행해봐야 하는 만큼 정확하지 않지만, 역학 조사에서 접촉자를 대상으로 검사한 때는 10~30퍼센트 정도로 보고되고 있다. 증상을 보이는 환자 중에서 경미한 증상(산소 치료가 필요 없는 환자)은 80~85퍼센트 정도다. 유행이 끝난 뒤에야 알 수 있는 치명률은 지금까지 전세계 평균 6퍼센트 정도이고, 한국은 2.3퍼센트 정도다. 코로나19는 다른 호흡기 질환처럼 증상 시작 전부터(약 2일 전부터) 바이러스를 배출해 감염을 전파시킨다. 보통 증상이 시작되는 시점을 앞뒤로 해 바이러스가 가장 많이 배출된다. 그리고 소화기 질환처럼 증상이 사라진 뒤에도 바이러스가 한동안 배출된다. 일반 호흡기 질환과 소화기 질환에서 감염 관리를 어렵게 하는 잠복기 전파와 회복기 전파의 특징을 모두 지닌 코로나19는 관리가 매우 어려운 질환이다(**그림 5**).

코로나19 감염병 관리 원칙

감염병 관리의 원칙은 감염원인 병원체와 병원소 관리, 전파 관리, 숙주 관리로 크게 나눌 수 있다. 감염병을 가장 확실하게 관리하려면 감염병 발생의 1차 원인인 병원체 또는 병원체의 생존과 증식에 필요한 병원소를 제거해야 한다. 동물이 병원소인 경우(이를테면 조류 인플루엔자처럼 닭이나 오리가 병원소이거나 니파 바이러스처럼 돼지가 병원소인 경우)에는 살처분이 효과적이다. 사람이 병원소일 때는 병원체를 배출하는 환자나 보균자를 빠르게 찾아 적절하게 치료하거나 격리해 일반 인구 집단 안의 병원소 숫자를 줄이는 방법을 사용한다.

박쥐에서 중간 숙주 동물(천산갑으로 추정)을 거쳐 사람에게 전해진 코로나19 바이러스는 이제 사람 사이에 전파되고 있다. 따라서 감염원은 환자다. 감염원인 환자는 항균제나 항바이러스제를 사용해서 병원체 배출을 줄이는 식으로 관리한다. 이런 치료제가 없을 때는 환자를 빨리 찾아서 격리한 뒤 감수성자(곧 면역이 없는 사람) 접촉을 줄이는 방법을 쓴다. 숙주 관리는 감염이 될 수 있는 감수성자인 사람들에게 면역이 생기게 해 병원체에 노출되더라도 감염되지 않게 하는 방식인데, 아직 백신이 개발되지 않은 탓에 영양 상태와 기저 질환 등을 살펴 개개인이 지닌 기본 면역이 잘 작동될 수 있게 지지하는 방법밖에 없다. 따라서 코로나19 관리에서 가장 중요한 요소는 전파 관리다.

감염 전파 과정을 차단하는 방식은 비약물적 조치Nonpharmaceutical Interventions·NPI라고 부르는데, 크게 세 가지를 들 수 있다. 첫째, 개인 보호를 위한 손 씻기, 기침 예절 지키기, 마스크 쓰기 등이다. 둘째, 환경 보호를 위해 소독 강화하기, 공용 물품 사용 제한하기, 적정 환기(되도록 자연 환기)하기다. 셋째, 사회를 보호하기 위한 '사회적 거리두기'다. 여기에는 접촉자 검역(자가 격리), 환자 병원(또는 시설) 격리, 보육 시설이나 학교 등 문 닫기, 직장 재택근무와 근무 시간 유연제 실시 등으로 대면 접촉을 최대한 줄이고, 많은 사람이 모이는 단체 행사나 집회 등을 최소화하는 일이 포함된다. 교통 이동 통제는 치명률이 높은 심각한 질환이 유행하는 초기 단계에서 고려할 수 있는 조치다.

수학적으로 생각해보자. 감염 재생산수reproduction number·R는 감염 환자 1명이 감염을 전파시킬 수 있는 기간(감염기) 동안 전염시키는 사람 수다. 아르 값이 1일 때는 지역 사회에 감염 환자 10명이 들어오면 지속적으로 10명의 환자가 유지되면서 그 병이 사라지지 않고 토착화된다는 뜻이다. 아르 값이 1보다 크면 환자가 점점 증가하는 유행이 시작되고, 이 값이 1보다 작아지는 시점부터 유행은 변곡점을 지나 감소세로 돌아선다. 한국에서 코로나19가 유행하기 시작한 초기에 환자 28명이 발생할 때까지 아르 값은 평균 0.5였다. 외부에서 환자 16명이 들어와 환자 9명을 발생시키고(R=0.56), 이 환자들이 다시 3명을 감염시켰다(R=0.3).✚ 그 뒤 대구와 경북에서 유행이 시작된 2월 말까지 나온 자료를 기반으로 수학적 모델링을 거쳐 아르 값을 추정하면 3.5까지 높아졌다.✚✚ 거의 중국 후베이 성 수준으로 높아진 셈이다.

감염 관리를 하려면 이 아르 값을 감소시켜야 한다. 이 값은 보통 3가지 요인으로 결정된다고 알려져 있다. 감염 재생산수를 줄이려면 감염자를 만난 때 내가 감염이 될 확률probability of infection, 감염자 접촉 수준contacts, 환자가 감염을 전파시키는 기간duration을 낮춰야 한다(R=p×c×d). 각각을 좀더 자세히 살펴보자.

감염 확률 줄이기 — 마스크 쓰기와 손 씻기

인플루엔자는 타미플루처럼 바이러스 배출을 줄이는 약을 사용하면 감염을 전파시킬 확률과 전파 기간을 줄일 수 있다. 그렇지만 코로나는 바이러스 배출을 줄이는 치료제가 없는 탓에 마스크를 써야만 환자는 호흡기로 나오는 바이러스 배출량을 낮출 수 있고, 일반인은 호흡기로 들어오는 바이러스를 막을 수 있다. 미국 국립보건원과 펜실베이니아 대학교 연구진은 실험 참가자들에게 커다란 밀폐 상자 안쪽으로 '건강하세요Stay healthy'라고 25초간 반복해 말하게

✚ Ki M; Task Force for 2019-nCoV, "Epidemiologic characteristics of early cases with 2019 novel coronavirus(2019-nCoV) disease in Korea", *Epidemiol Health* 42, 2020(e2020007. doi:10.4178/epih.e2020007).

✚✚ Choi S, Ki M, "Estimating the reproductive number and the outbreak size of COVID-19 in Korea", *Epidemiol Health* 42, 2020(e2020011. doi:10.4178/epih.e2020011).

한 뒤 입 밖으로 나오는 침방울을 레이저 광선을 쏴 관찰했다.✚

침방울은 나오자마자 수분이 증발하면서 크기가 처음의 20~34퍼센트로 작아졌다. 이런 비말핵droplet nuclei은 크기가 작아지면 낙하 속도도 떨어진다. 공기 중에 떠 있는 시간이 그만큼 늘어난다는 뜻이다. 실험 결과 8~14분(평균 12분)이었다. 마스크를 쓰면 사정이 달라진다. 코로나19 바이러스 입자의 크기는 0.1마이크로미터를 조금 넘는다. 마스크 구멍은 훨씬 커서 보통 0.4마이크로미터 이상만 걸러낼 뿐이다. 그렇지만 바이러스는 침에 섞여 배출되기 때문에 마스크를 쓰면 눈으로 확인할 수 있는 침방울은 거의 배출되지 않는다.

마스크는 공기 흐름도 바꾼다. 인도 과학자들은 마스크를 쓰지 않으면 침방울이 기류를 타고 5미터나 날아가지만, 마스크를 쓰면 1.5미터 안에서 바닥에 떨어지는 사실을 확인했다. 마스크는 또한 입과 마스크 사이의 공기 습도를 높인다. 습한 공기는 증발을 막아 침방울이 비말핵이 되지 못하게 방해한다. 인도 연구진이 한 실험에 따르면 입과 마스크 사이의 틈을 뚫고 나오는 공기는 10퍼센트 남짓이다. 바이러스 묻은 침방울이 확산될 확률이 그만큼 줄어든다. 마스크 하나에 4중 차단 메커니즘이 작동하는 구조다. 마스크를 쓰면 20센티미터 떨어진 사람에게 전달되는 바이러스 양이 36분의 1까지 줄어들 수 있다는 실험 결과도 나왔다. 환자가 다른 사람에게 바이러

✚ Anfinrud P, Stadnytskyi V, Bax CE, Bax A, "Visualizing Speech-Generated Oral Fluid Droplets with Laser Light Scattering", *New England Journal of Medicine* 382, 2020, pp. 2061~2063.

스를 옮길 확률을 낮추게 된다는 말이다.

나는 2015년 메르스가 유행할 때 역학 조사를 하면서 마스크의 효능을 확인했다. 73번째 확진자는 간병인으로 일하러 병원에 와 메르스에 걸렸다. 폐회로 텔레비전을 보면 메르스에 노출된 때 이 간병인은 마스크를 코밑으로 내려서 쓰고 있었다. 주변 사람들은 모두 마스크를 제대로 쓰고 있었고, 그 결과 이 간병인만 감염됐다. 증상이 나타나 검사를 받으려고 병원을 찾은 때는 이 간병인도 마스크를 제대로 쓰고 다녔다. 엑스레이 검사 기사, 심전도 검사 기사, 간호사, 입원실의 다른 환자 등 병원에서 많은 사람을 접촉했지만 다행히 한 명도 전파시키지 않았다. 안타깝게도 이 간병인은 며칠 뒤 사망했다. 마스크가 생명을 가른 셈이다.

코로나19 때는 5월 초에 이태원 클럽에서 시작된 유행이 지역 사회로 확산됐다. 확진자 중에는 감염 위험이 높다고 알려진 교회나 콜센터 등을 이용한 사람들이 있어 확산이 염려됐지만, 다행히 마스크를 쓴 덕에 추가 감염이 줄었다. 2003년 사스 사태에서도 마스크의 바이러스 차단 효과가 68퍼센트에 이른다는 사실을 확인했다. 손 씻기, 마스크 쓰기, 장갑 착용을 함께하면 차단 효과는 91퍼센트였다. 얼마 전 미국 오리건 주립대학교 연구진이 64개 논문을 검토한 결과 마스크를 제대로 쓰면 바이러스 감염 위험률을 50~80퍼센트까지 줄일 수 있다고 발표했다. 또한 캘리포니아 주립대학교 버클리 캠퍼스 연구진이 한 시뮬레이션에서는 인구의 80퍼센트가 마스크를 쓰면 감염자를 12분의 1로 낮출 수 있다는 결과가 나왔다.

마스크를 쓰면 큰 침방울은 직접 차단하고, 공기 흐름을 바꿔서 바이러스가 멀리 못 가게 하고, 습도를 높여서 부유 시간을 줄이고, 빠져나가는 공기를 10퍼센트로 줄여서 환자를 만나도 감염이 될 확률을 크게 줄일 수 있다. 그래서 모든 의료인이 마스크를 쓰고 방역복을 입는다.

감염자 접촉 줄이기 — 사회적 거리 두기

환자 접촉을 줄이려면 사회적 거리 두기를 해야 한다. 특히 코로나19처럼 초기 증상이 약하고 무증상 감염자까지 있는 질환은 누가 환자인지 알 수 없는 만큼 최대한 적극적으로 사회적 거리 두기를 하는 수밖에 없다. 원론적으로 생각하면 바이러스는 숙주(사람)의 세포에서만 생존할 수 있는 만큼 사람에서 사람으로 전파되지 않는 한 살아남을 수 없다. 그런데 사람에서 사람으로 옮기는 전파는 접촉(직접 접촉과 간접 접촉 모두 포함)을 통해 일어난다. 모든 사람이 직접 접촉을 일정 기간(무증상 감염자의 감염 전파 기간 최대 약 3주) 동안 중지하고, 간접 접촉을 막기 위해 손 씻기와 환경 위생을 철저히 하면 바이러스 전파를 막을 수 있다.

사회적 거리 두기는 감염자가 감염을 전파시키는 기간을 줄이는 효과도 거둘 수 있다. 환자를 접촉해 감염이 의심되는 상황이라면 최대한 접촉을 줄여 혹시 모를 확산이 일어나지 않게 주의해야 한다. 사회적 거리 두기를 적극 시행하면 일반인의 마스크 필요량도 줄어들어서 감염 확률을 더 줄여야 할 의료인과 감염 고위험자(만성 질환자와 시설 종사자 등)에게 마스크를 충분히 제공할 수 있게 된다.

사회적 거리 두기의 가장 강력한 형태는 '락다운lockdown'이다. 모든 접촉을 정지시켜 바이러스가 접촉을 통해 확산되는 상황을 막으려는 시도다. 락다운이 효과를 보려면 모든 사람이 접촉을 멈춰야 한다. 가족이 한집에 있으면 무증상 감염자 한 명이 가족 전체를 순차적으로 감염시킬 수 있다. 따라서 전체가 1인 가구라면 무증상 감염자 1명의 최대 감염 전파 기간인 약 3주간 락다운을 하면 되겠지만, 2인 가구라면 락다운 기간이 최대 2배로 늘어나야 효과를 볼 수 있다. 따라서 락다운만으로 지역 사회 감염 확산을 완전히 막기는 어렵다. 감염 관리 시스템이 준비되지 않은 상태에서 감염 확산 속도가 매우 높아 의료 기관이 감당하기 어려운 상황인 때만 락다운을 해서 전파 속도를 낮추면서 환자 이송 체계와 감염 관리 시스템을 갖출 시간을 벌어야 한다. 그 뒤에는 적극적으로 환자와 접촉자를 찾아 격리하며, 개인 위생(마스크 쓰기, 손 씻기)과 환경 위생(소독, 환기)을 철저히 하고, 고강도 사회적 거리 두기를 병행해 밀집 시설, 밀폐 장소, 비말 접촉 위험이 높은 곳을 뺀 필수 경제 시설을 열어 사회 시스템이 작동할 수 있게 해야 한다.

전파 기간 줄이기 — 빠른 진단과 빠른 격리

아르 값을 감소시키려 감염 전파 기간을 줄이려면 되도록 빨리 환자를 진단해 격리시켜야 한다. 그래서 한국은 증상자뿐 아니라 접촉자, 고위험자를 대상으로 적극적으로 검사를 시행한다. 마찬가지

표 1 후천 면역의 종류

	자연 면역(natural immunity)	인공 면역(artificial immunity)
능동 면역 (active immunity)	감염 뒤 회복되면서 생성 (에이형 간염, 홍역)	백신이나 독소 접종 뒤 생성 (비시지, 홍역)
수동 면역 (passive immunity)	모체의 항체를 태아가 받음 (홍역, 비형 간염)	항독소나 항체를 접종 받음 (비형 간염 면역 글로불린, 파상풍 항독소)

이유로 역학 조사를 거쳐 접촉자를 빨리 격리하고 검사하며, 환자 동선을 공개해 노출된 사람들에게 자발적인 격리와 검사를 요청한다.

면역이란 무엇인가

선천적으로 사람에 따라 다른 면역 수준을 지니는 상태를 선천 면역이라고 부른다. 후천 면역은 항체나 항독소를 숙주 스스로 생성하는지에 따라 능동 면역과 수동 면역으로 나눈다. 또한 면역을 얻는 방식에 따라 자연 면역과 인공 면역으로 구분한다. 자연 수동 면역은 태어날 때 모체에게서 받은 면역으로, 생후 수개월까지 많은 감염에 걸리지 않게 하는 구실을 한다. 인공 수동 면역은 비형 간염 바이러스 항체가 없는 사람이 오염된 주삿바늘에 찔려 비형 간염 바이러스에 노출된 때 쓰는 비형 간염 면역 글로불린이나, 홍역이 유행할 때 예방 접종을 받지 못한 사람에게 투여하는 홍역 면역 글로불린 등이 해당된다. 홍역에 걸린 뒤에 항체를 지니는 경우가 자연 능동 면역이고, 홍역 예방 접종을 통해 내 몸에서 항체를 생성할 수 있게 된 경우가 인공 능동 면역이다.

우리는 아직 코로나19의 면역 형성에 관해 잘 모른다. 감염 뒤에 회복이 되면 항체가 형성되기는 하지만, 감염을 예방하는 효과가 얼마나 되는지, 항체 지속이 얼마나 되는지는 좀더 연구가 필요하다. 아직 효과적인 치료제를 개발하지 못한 상태이지만 회복된 환자의 혈장을 이용한 치료는 시행하고 있다.

숙주의 면역이 잘 생기려면 영양 관리도 중요하다. 균형 잡힌 식사를 해 단백질, 비타민, 무기질 등이 부족하지 않아야 한다. 또한 흡연, 과음, 중증 스트레스, 과로, 극한 환경 작업 등은 면역력을 줄이는 주요인이다. 충분한 안정, 고른 영양 섭취, 가벼운 운동으로 면역력을 유지하고, 기저 질환이 있다면 치료를 소홀히 하지 말아야 한다.

집단 면역이란 무엇인가

홍역이나 수두처럼 사람 사이에 전파되는 감염병의 유행은 뚜렷한 주기성을 띤다. 과거에는 병원체 감염력의 변화라고 생각한 적도 있지만, 지금은 집단의 감수성자 비율에 따른 현상이라는 사실이 잘 알려져 있다.

면역을 가진 인구 비율이 높을 경우 감염자가 감수성자를 접촉할 기회가 줄어 감염 재생산수인 아르 값이 작아진다. 몇몇 감수성 있는 인구 집단이 있더라도, 1명의 감염자가 감염 기간 동안 평균 1

명의 감염자를 만들지 못하게 되면(곧 아르 값이 1보다 작아지면), 그 지역 사회에서 유행은 지속되지 않는다. 이렇게 인구 중 면역을 획득한 비율이 어느 정도 되면 그 지역 사회는 마치 해당 질병에 면역된 양 유행이 발생하지 않는데, 이런 상태를 집단 면역herd immunity이라고 한다. 집단 면역 수준은 지역사회 총인구 중 면역 있는 사람의 비율로 표시하는데, 이 수준이 한계 밀도threshold density✚보다 크면 유행은 일어나지 않는다.

$$\text{집단 면역 수준} = \frac{\text{저항성(또는 면역)이 있는 사람 수}}{\text{총인구 수}} \times 100$$

지역 사회에서 유행을 감소시키려면 아르 값이 1보다 작아야 한다. 곧 유행을 막기 위한 집단 면역 수준을 피proportion·p라고 하면, 다음 값은 1보다 작아야 한다.

$$R=R_0-p(R_0)$$

따라서 코로나19의 아르 값(R_0)이 2.5~3.5로 알려져 있으니 3.0으로 가정하면(R_0=3.0), 집단 면역 수준(p=1-1/3)보다 커야 하므로 66.6퍼센트보다 커야 한다. 그렇지만 이때는 집단 내부의 모든 사람이 무작위 접촉하고 있다고 가정하고 있는 만큼, 만약 면역이 없는 사

✚ 한계 밀도란 유행이 일어나는 집단 면역의 한계치를 말한다.

람들끼리 소규모 집단을 형성하고 접촉하면 유행을 막기 어렵다.

천연두와 폴리오는 예방 접종을 통한 집단 면역으로 감염병을 박멸하거나 퇴치한 사례다. 그렇지만 홍역은 R_0가 15~17에 이를 정도로 높아 유행을 막으려면 94퍼센트 이상의 집단 면역이 필요하다. 예방 접종의 효과가 95퍼센트라고 하면, 모든 국민이 100퍼센트 예방 접종을 맞을 때만 95퍼센트의 면역 수준을 유지할 수 있다. 그래서 전세계에서 90퍼센트 이상 홍역 예방 접종을 시행하는데도 여전히 유행이 지속된다. 또한 한국은 에이형 간염이 주기적으로 유행한다. 에이형 간염은 $R_0=2$ 정도이므로 50퍼센트의 집단 면역이면 유행이 일어나지 않아야 한다. 전체 인구의 항체 보유율은 60퍼센트 정도이지만, 20~49세는 30퍼센트 미만이고, 10세 미만은 예방 접종을 통해, 60세 이상은 자연 감염을 통해 약 90퍼센트의 항체 양성률을 보인다. 따라서 젊은 연령층에서 에이형 간염이 지속적으로 유행한다.

코로나 바이러스 면역에 관해서는 잘 알려져 있지 않다. 메르스가 유행한 뒤 환자와 접촉자를 대상으로 혈청 역학 조사를 한 결과 확진 뒤 5개월 정도 지났을 때 확진자 36명 중 23명만 항체 양성으로 나타났다(미공개 연구 결과). 감염 뒤 항체 지속 기간이 높지 않은 셈이다. 집단 면역에 관련해서는 코로나19 감염자의 항체 효과와 지속 기간에 관한 연구 결과가 중요하다.

팬데믹, 위기를 넘어

세계보건기구는 2020년 1월 31일에 코로나19 유행이 〈국제 보건 규약International Health Regulations·IHR〉 제12조가 규정한 '국제 공중보건 위기 상황Public Health Emergency of International Concern·PHEIC'이라고 선포했다. 위기 상황 선포는 2009년 신종 인플루엔자 유행을 시작으로, 2014년 야생 폴리오, 2014년 서아프리카 에볼라, 2016년 지카 바이러스, 2018년 에볼라까지 5번 있었고, 이번이 여섯 번째다. 폴리오는 아직도 지속 중이다.

위기 상황 선포는 공중 보건에 심각한 영향을 주는가, 예상하지 못한 사건인가, 국제적으로 전파될 위험이 심각한가, 국제 교역이나 여행에 심각한 위험이 있는가 등을 신중하게 평가해 결정한다. 또한 감염병의 국가 간 전파를 최대한 막고 감염병이 유행하는 국가의 대응을 지원하는 한편 관련 국가를 대상으로 지나친 교역 제한 조치가 내려지지 않게 하려는 태도를 취하고 있다.

3월 11일, 유럽과 중동 지역 국가에서 지역 사회 대규모 전파가 시작되자 세계보건기구는 코로나19의 전파 속도와 규모에 근거해 '팬데믹'(세계적 대유행)을 선포했다. 그렇지만 세계보건기구도 정확한 기준을 정하고 있지는 않으며, 지금까지는 인플루엔자에만 팬데믹을 선포했다. 인플루엔자에 관련해서는 '신종 인플루엔자 대유행 대비 계획Pandemic Influenza Preparedness'에 따라 해마다 발생하는 유행에 대비해 연례 경과 보고서를 낸다. 코로나19 팬데믹이 선포된 뒤 각국의 대응이 크게 달라질 일은 없지만, 신종 감염병에 대응하는 인프라가 취약한 국가에서 앞으로 일어날 유행에 더 철저히 대비하고 세계보건기구가 적극적인 지원과 공조를 할 계획이라는 점을 재확인한 데 의미가 있다.✚

늘어나는 신종 감염병

역사적으로 신석기 시대는 감염병 증가 시대, 고대에서 중세까지는 역질과 기근의 시대, 근대는 범유행 감축 시대, 현대는 퇴행성 인조 질환 시대와 새로운 감염병 출현 시대로 구분한다. 이런 시대 변화에는 인구 성장과 구조 변화, 산업화와 도시화, 세계화, 환경 오염 같은 근원적 요인들뿐 아니라 정치 체계와 사회 체계의 변화, 종교 등도 간접으로 영향을 미쳤다. 유럽연합에 위협이 될 수 있는 신종 감염병의 모형을 제시하면서 주요 위협 요인으로 세계화와 환경 변화, 사회 인구학적 변화, 공중 보건 체계 등을 제시한 연구도 나왔다.✚✚

신종 감염병 발생에 영향을 미치는 요인을 정리하면 **표 2**와 같다. 이 중에서 세계화, 여행과 이주, 교역의 증가 때문에 감염병이 전 세계로 빠르게 확산되고, 각국의 공중 보건과 의료 체계에 따라 감염병 피해 규모가 다르게 나타난다.

✚ Jee Y, "WHO International Health Regulations Emergency Committee for the COVID-19 outbreak", *Epidemiol Health* 42, 2020(e2020013).

✚✚ Suk JE, Semenza JC, "Future Infectious Disease Threats to Europe", *American Journal of Public Health* 101(11), 2011 Nov, pp. 2068~2079(doi: 10.2105/AJPH.2011.300181. Epub 2011 Sep 22. PMID: 21940915; PMCID: PMC3222407).

표 2 신종 감염병 발생과 유행 관련 요인

주요 요인		관련 요인
근원 요인	인구	인구 성장과 인구 구조, 분포 등
	산업화	1차 산업, 2차 산업, 3차 산업, 4차 산업 등 산업 구조의 변화
	도시화	인구 밀도와 주거 형태 변화, 농촌 인구의 도시 이주, 도시 빈민 지역
	세계화	여행, 이동, 교역 증가에 영향, 국제 공중 보건 체계의 변화
	거시 환경 변화 (정치/경제 등)	감염병에 무관심한 경제 성장 정책, 불경기 시기 감염병 관리 예산 삭감, 국제 사회의 갈등과 전쟁, 내전, 소요 등 국내와 국제 협치(governance) 부재
	환경 오염	산업화와 도시화에 관련 직접 요인인 기후 변화, 생태계 변화, 병원체의 진화와 적응 등에도 관련
직접 요인	기후 변화	태풍, 홍수와 가뭄, 폭염, 한랭, 기근 등 극한 기상 현상의 증가
	생태계 변화	토지 이용의 변화, 삼림 벌채와 조림, 도로 건설, 농업 용지 이용, 댐 건설, 수자원 생태계 변화
	병원체 진화와 적응	독성 변화, 약제 내성 출현, 만성 감염, 만성 질환의 원인이 되는 병원체
	사람의 감수성 변화	노인 인구 증가, 만성 질환자 증가 등
	사람의 행동 변화	성 접촉 증가, 약물 남용, 여행, 식습관 변화, 여가 활동과 보육 시설 이용 증가 등
	빈곤과 사회적 격차 증가	빈곤층 증가, 도시 빈민촌 형성 등 감염병 취약 계층 증가, 영양 부족
	여행과 이주, 교역 변화	여행과 이주, 교역 증가(가축, 반려동물), 비행기를 이용한 여행과 이주, 교역에 필요한 소요 시간의 감소, 잦은 국제 행사 개최, 공항과 항만의 혼잡과 여러 지역 사람들의 접촉 기회 증가
	식품 산업 변화	식품 공급 유통의 대규모화와 세계화, 식품 가공과 포장의 변화
	보건 의료 분야 기술 변화	새로운 의료 장비, 조직과 장기 이식, 면역 억제 약물 사용, 항병원체 제제 남용
	농수산 등 타 분야 기술 변화	농업 기술의 변화, 농수산물 생산의 대규모화, 목축 산업의 대규모화와 변화
	공중 보건, 의료 체계 변화	감염병 예방과 관리 사업, 의료 서비스 체계, 전문 인력 부족, 공중 보건 예산 삭감 등

미션 파서블, 신종 감염병에 대비하라

신종 감염병이 분명히 유행할 테지만 어떤 감염병이 언제, 어디서 시작될지는 알 수 없다. 모든 나라는 자국에서 신종 감염병이 발생하는 상황에 대비해야 한다. 신종 감염병이 해외에서 먼저 발생해 유입되는지, 전에 유행한 적이 있는지에 따라 대비해야 할 항목은 다를 수 있다. 코로나19는 중국에서 보면 국내에서 발생한 새로운 감염병이지만, 다른 국가에서는 해외에서 유입된 새로운 감염병이다.

새로운 감염병이 국내에서 발생할 경우, 각국 상황에서 새로운 감염병 발생 요인(조류 독감, 항생제 남용 등)을 검토해 우선순위를 정하고, 조기 발견 감시 체계를 개발해 운영해야 한다(증후군 감시 체계, 루머 감시 체계 등). 또한 발견된 질병의 원인을 밝힐 역학 조사 역량과 실험실에서 병원체를 분리하고 특성을 파악할 역량을 강화해야 한다. 이를테면 중국은 코로나19가 사스하고 비슷한 바이러스가 일으킨 감염병이라는 사실을 밝히고 유전 정보를 공개했다.

새로운 감염병이 외국에서 유입될 경우, 첫 발생국의 발생 양상을 이른 시기에 면밀히 파악하고, 여행객 대상 홍보와 교육, 검역 강화, 여행 자제, 교역 중단 등 예방 조치를 유행 규모와 위험도에 따라 사용하고, 해당 질병이 국내에 유입되는 상황을 재빨리 파악해 확산을 예방해야 한다. 코로나19 사례에서는 중국을 뺀 모든 국가가 외국에서 새로운 감염병이 유입된 상황에 놓여 있다.

이미 알려진 감염병이 국내에서 다시 발생할 경우, 적절한 예방

표 3 신종 감염병 대비를 위한 분류

해외 유입인가	이전에 없던 감염병인가	
	새로운 감염병 출현	감염병 재출현
국내 발생	중국: 코로나19 한국: 신증후 출혈열(한탄 바이러스)	한국: 홍역, 결핵
해외 유입	중국 이외 국가: 코로나19 한국: 메르스	한국: 열대열 말라리아

조치가 유지되지 않거나 예방 접종률이 감소하는 등 내부 요인이 누적되면 관리되던 감염병도 다시 유행할 수 있다. 따라서 감염병 발생 관련 요인들의 변화 추이를 잘 모니터링해서 위험해지지 않게 관리해야 한다.

이미 알려진 감염병이 외국에서 유입될 경우, 그 감염병이 전세계에서 박멸되지 않았다면 일정 수준의 감염이 일어나고 있다는 말이 된다. 따라서 검역 조치와 국내의 감시 체계, 적절한 예방적 조치가 잘 유지되지 않으면 언제라도 그 감염병이 외국에서 유입돼 다시 발생할 수 있다.

신종 감염병에 효율적으로 대비하려면 감염병의 전파력과 치명률 등을 고려해 국가별로 감시 체계, 방역 체계, 공중 보건 체계, 의료 체계, 자원 관리 등을 준비해야 한다. 신종 감염병의 종류에 따라 대비해야 할 중점 항목은 조금씩 다르고 대비 수준도 국가별로 다를 수 있지만, 다음 7개 항목별 대비 전략은 반드시 포함돼야 한다.

첫째, 감염병을 발견하기 위한 감시 체계를 운영하고, 역학 조사를 실시하고, 실험실을 강화한다. 민감하고 신속하게 신종 감염병을 발견해내는 감시 체계가 있어야 한다. 원인 불명 질환을 찾으려면 증후군 감시 체계를 운영해야 하고, 루머 감시 체계, 인터넷 빅 데이터 감시 체계 등 비공식 감시 체계도 필요하다. 또한 감시 체계에서 수집되는 자료와 정보의 타당성을 확인하고, 종합 분석해 세계적인 전파 가능성에 아울러 국내 유입 가능성을 평가하는 통합 감염병 감시 정보 부서를 가동해야 한다. 또한 감시 체계를 통해 감염병 의심 환자를 발견하거나, 역학 조사 과정에서 집단 발병 환자들을 발견한 때 적절한 검체를 확보해서 감염병 병원체를 분리 동정同定해 확인할 수 있는 실험실이 있어야 한다. 특히 치명률이 높은 병원체라면 생물 안전 4등급Biosafety Level 4 실험실을 확보해야 한다(최소 생물 안전 3등급 이상이 필요하다). 병원체가 분리되면 병원체의 변이형을 분석하고, 분자 유전학적 특성을 파악하고, 병원체의 감염력과 병원성, 독성, 면역성 등의 특성과 기전을 밝힐 수 있다. 한국은 2017년 3월 질병관리본부에 생물 안전 4등급 실험실을 갖췄다. 현재 코로나19 바이러스의 배양 등 병원체를 직접 취급하는 일은 생물 안전 3등급 이상 실험실에서 수행해야 한다. 그 밖에 불활不活화된 검체를 취급하는 작업은 생물 안전 2등급 실험실에서 수행한다.

둘째, 공중 보건 방역 체계를 강화해야 한다. 보건 교육, 깨끗한 물과 음식 유통 시스템, 기본 예방 접종, 만성 질환 관리 지원 등 기본 공중 보건 시스템에 더해 공중 보건 방역 체계를 강화해야 한다. 한국도 1990년대 중반까지는 감염병은 잘 관리하면 곧 퇴치되고 박멸되리라는 기대 아래 감염병 검역과 방역 체계를 간과하는 경향이 있었다. 대신 공중 보건 분야에서 건강 증진과 만성 질환의 예방과 관리에 초점을 맞췄다. 그러다가 1998년에 전국에 세균성 이질이 유행하고, 2000년과 2001년에는 홍역이 대유행해 환자 5만 5707명이 발생하면서 감염병 대비와 대응 체계를 구축하기 시작했다. 2003년에는 사스를 경험하면서 감염병 대비와 대응의 중요성을 절감해 2004년에 국립보건원을 질병관리본부로 확대 개편했고, 2009년에는 에이형 간염과 전세계적인 신종 인플루엔자 에이A(H1N1) 대유행에 대응했다. 2014년 서아프리카에서 발생한 에볼라 바이러스와 2015년 메르스를 경험하면서 신종 감염병에 대응할 국가 방역 체계 개편 방안(신종 감염병의 국내 유입 사전 차단, 초기에 즉각 현장 대응해 조기 종식 달성, 유행 확산 때는 보건 의료 자원 총력 동원, 신종 감염병 거버넌스 개편, 병원 감염 방지 의료 환경 개선)을 마련했다. 2016년에는 지카 바이러스 대유행 등을 경험하면서 신속 진단 검사 개발 등을 위해 더욱 노력하게 됐다. 또한 지방자치단체의 공중 보건 방역 체계를 강화하기 위해 시도에는 감염병 지원단을 신설하고 시군구 보건소에는 감염병 전문팀을 구성하기로 했지만, 2020년 현재 전국 17개 시도 중 11개에만 감염병 지원단이 설치돼 있다.

셋째, 보편적 건강보험이 필요하다. 모든 국민이 건강보험 체계에 들어오게 해 누구나 기본적인 공중 보건과 의료 혜택을 쉽고 값싸게 받을 수 있어야 한다. 신종 감염병이 유행할 때 의료 기관 접근성이 낮으면 환자 진단과 분류가 늦어져 감염 확산을 막을 수 있는 초기 대응에 실패할 확률이 높다. 2015년 메르스가 유행한 뒤 병원 감염을 방지하기 위해 의료 환경을 개선하고 감염관리료를 인상해 건강보험에서 급여하고 있지만, 건강보험은 아직도 치료 중심이어서 감염 예방을 포함해 예방 분야에서 급여화를 확대해야 한다.

넷째, 감염병 예방과 관리에 관한 법률을 마련해야 한다. 사회 공동체의 감염병 예방과 관리를 위해 개인의 자유는 어느 정도 제한될 수 있다. 그런 범위를 최소화하고 인권을 지키면서도 효율을 높이려면 사회적 합의를 거쳐 관련 내용을 법률로 명시해야 한다. 여기에는 감염병 감시, 질병 관리와 예방의 주체, 인력 양성, 예방 접종, 관련 정보 공개 등을 다룬 조항에 더해 처벌 조항도 포함된다.

다섯째, 전문 인력을 길러야 한다. 감염병 예방과 관리 업무를 수행하는 보건 의료 인력과 역학 조사관, 감염병 전문가가 필요하다. 교육과 훈련에 많은 예산을 투자해 환자를 치료하는 의료인, 지역 사회에서 감염병 방역 업무를 수행하는 방역 요원, 지자체에서 감염병 관리 업무를 기획하고 조정하는 감염병 전문가가 충분한 지식과 실무 능력을 갖출 수 있게 해야 한다. 또한 감염병 정책을 연구하는 전문 인력도 필요하다.

여섯째, 감염병의 불확실성을 이해해야 한다. 일반 대중과 의사 결정자를 포함한 모든 이해관계자가 감염병의 특성을 정확히 알아야 한다. 평상시에는 공중 보건 전문가와 의료 서비스 제공자들이 감염병을 예방하고 치료한다. 일차 담당자는 지역 현장의 공중 보건 책임자와 보건 의료인이고, 국가 차원에서는 보건복지부나 질병관리본부장이 책임자가 된다. 감염병이 발생해 공중 보건 위기 상황이 전개되면 최종 책임자로 대통령이 나서야 될 수도 있는데, 이때는 보건 의료뿐 아니라 경제, 외교, 노동, 국방 등 다른 부문도 참여해야 한다. 한편 일반 대중은 감염병에 감염될 수 있는 감수성자이면서 다른 사람을 감염시키는 병원소도 될 수 있는 만큼 감염병의 특성을 정확히 이해해야 한다. 따라서 감염병 관리의 의사 결정자는 보건 분야 책임자뿐 아니라 대통령과 총리, 주무 부처와 관련 부처 장관, 지자체장 등이다. 감염병의 이해관계자는 보건 의료인만이 아니라 일반 대중, 민간 기관과 단체, 사업체 등이다.

신종 감염병은 우리가 모르는 질병인 만큼 불확실성이 있을 수밖에 없다. 의사 결정은 그때까지 밝혀진 내용을 기준으로 하되, 새로운 사실을 알게 되면 정책이 바뀔 수 있다는 점을 의사 결정자와 이해관계자 모두 이해하고 받아들여야 한다. 예방과 대비에 필요한 계획을 수립해 시행하면 피해를 최소화할 수 있지만 준비가 부족하면 위기 상황이 초래될 수도 있다. 보건 의료인과 주무 부처는 물론 관련 부처의 관계자, 일반 국민이 감염병의 특성과 감염병이 미치는 영향을 정확히 알고, 감염병 위기 상황은 병원체와 숙주에 관련된 생물학적 요인말고도 다양한 생태학적 요인과 물리 환경 요인, 사회 환경, 정치적이고 경제적인 여건 등에 영향을 받는다는 사실을 이해해야 평상시에 감염병 예방과 대비에 지속적으로 투자해야 한다는데 동의할 수 있다.

일곱째, 감염병 팬데믹에 대비하고 대응하기 위한 국제 협력을 강화해야 한다. 특정 국가에서 발생한 감염병이 다른 국가로 전파될 가능성은 점점 커지고 주기는 아주 짧아지고 있다. 코로나19 팬데믹을 계기로 전세계는 서로 연결돼 있고 어느 한 나라만의 힘으로 질병을 끝낼 수 없다는 사실이 확실해졌다. 예방과 관리 역량이 낮은 국가에서 감염병이 발생하면 적극적으로 지원하는 행동은 국제 사회의 일원의 의무이자 인도주의 측면에서도 당연하다. 예방과 관리 활동을 수행하는 과정에서 감염병 관련 지식과 경험을 쌓을 수도 있다. 2014년 서아프리카에 에볼라 바이러스가 유행하자 한국도 3차에 걸쳐 의료지원단을 파견한 사례가 있다. 또한 특정 국가에 토착화된 감염병 대상 감시 체계 구축과 역학 연구, 실험실 연구 등을 위한 연구소 설립을 지원함으로써 공동 연구를 벌여 역량을 강화해야 한다. 세계보건기구 같은 국제기구뿐 아니라 인접 국가 간 정보 교환과 방역 협력이 중요하다. 전세계 대사관에 보건 역학 전문가를 파견해 교민을 지원하고 감염병 연구 정보를 수집해야 한다.

2장

코로나19의 과학과 정치는 어떻게 만날까?

김창엽

'사회적인 것'으로서의 감염병

질병과 건강을 생물학적 또는 의학적 현상으로 이해하기 쉽지만, 흔히 생각하는 것 이상으로 '사회적 결정 요인'의 영향이 강하다. 빈곤, 비정규 노동, 학력, 좋지 않은 노동조건, 주거 등이 건강에 영향을 미치는 대표적인 사회적 결정 요인으로, 한 나라 안에서 또 국가 사이에서 사회적 요인의 차이에 따라 건강과 질병이 달라진다는 것이 정설이다.

코로나19를 비롯한 모든 인간 감염병(나아가 모든 질병) 또한 '생물학적인 것the biological'과 '사회적인 것the social'의 중첩이다. 중첩보다는 '발현emergence'이라는 말이 더 정확하다. 심층 구조(예를 들면 바이러스 대 타인 접촉)에서 기인한 두 가지 요소가 작용해 감염병이 생기지만, 이 감염병이 바이러스 또는 인간관계로 환원되지 않는다는 뜻이다. 수소와 산소가 화학적으로 결합한 물의 특성이 수소 또는 산소와 완전히 다른 것과 같다('수소와 산소가 발현한 결과가 물'이라고 표현한다). 감염병 발생과 유행은 생물학적인 것이고 예방 방법이나 결과는 사회적인 것으로 나눌 수 없다.

일반적으로 생물학적이거나 의학(의료)적인 것으로 이해하는 감염병 발생, 전파, 유행도 사실은 사회적인 것과 상호 작용한 결과이거나 두 가지 속성을 함께 포함한다. 감염병의 확산 속도와 범위를 결정하는 '감염력'이 좋은 예이다. 감염병 유행과 확산 정도를 결정하는 데는 세 가지 요소가 작용하는데, 첫째는 감염자가 얼마나 많은 사람을 접촉하는지(접촉률), 둘째는 다른 사람에게 얼마나 쉽게 옮기는지(전파 확률), 셋째는 얼마 동안이나 전파할 수 있는지(감염 기간) 등이다.

감염병 확산 여부에 결정적으로 중요한 이 세 가지 요소에는 생물학적인 것과 사회적인 것이 통합되어 있다. 한 사람의 감염자가 얼마나 많은 사람을 만났는지(접촉률)는 거의 전적으로 사회적인 것으로, 이동을 금지하거나 집에서 외출하지 않는 사회적 실천에 따라 크게 달라진다. 전파 확률은 세균이나 바이러스의 특성이기도 하지만, 사람 사이의 거리가 얼마나 가까운지 먼지, 말을 많이 했는지 아닌지, 다른 사람과 대화할 때 마스크를 썼는지 아닌지 등 인간의 사회적 행동과 밀접한 관련이 있다. 이처럼 개인행동을 비롯한 사회적인 것을 빼고는 감염병의 유행과 확산을 말하기 어렵다.

유행에 대한 대응은 좀더 넓은 의미의 사회적인 특성, 즉 정치적, 경제적 특성이 더 강하게 드러난다. 유행 초기에 한국이 국경을 막지 않았던 데는 대외 개방성이 강한 한국 경제의 특성이 영향을 미쳤다는 해석이 일반적이다. 모든 나라가 가장 효과적인 방역 방법으로 받아들인 이른바 '사회적 거리 두기'는 말 그대로 사회적 행동이며 관계이자 구조다.

감염병 유행의 결과, 예를 들어 경기 침체나 실업과 같은 경제적 영향 또한 사회적인 것이다. 세계 여러 나라는 이미 코로나19 유행의 결과, 즉 대규모 실업과 임금 감소, 소비와 생산 위축, 교역 감소 등으로 경제적 위기를 겪고 있다. 봉쇄를 끝내라고 요구하는 시위에서 보듯, 경제 위기는 곧 정치적, 사회적 위기로 직결된다. 그뿐만 아니라 '뉴 노멀'이 불가피하다는 주장에서 알 수 있듯이 관점에 따라서는 새로운 정치, 경제, 사회로 변화하는 계기 또는 기회일 수도 있다.

한 가지 강조할 것은 이런 사회경제적 영향이 사후적일 뿐 아니라 현재의 감염병 대응에 직접 관련된다는 점이다. 예를 들어, 사회적 거리 두기에 따라 일을 쉬고 그 결과 임금 감소로 생계가 어렵다면, 해당 노동자는 위험을 무릅쓰고 일을 계속할 것이다. 이 노동자의 소득을 보장하는 다른 방법이 없는 한 사회적 거리 두기를 실천할 수 없다.

감염병의 과학과 정치경제

과학과 정치경제의 경계 또는 중첩

과학과 정치는 늘 만나며, 차원과 성격은 다르나 감염병도 마찬가지다. 몇 가지 예를 들어보자. 첫째, 예방과 치료를 위한 인공호흡기나 백신(과학기술)을 배분해야 하면 이를 누구에게 먼저 적용할지 하는 우선순위 문제(정치)와 만난다. 둘째, 어디서 어떻게 감염이 시작되었는지 하는 과학적 질문은 미국과 중국의 경쟁과 갈등이라는 세계 정치경제 구조를 벗어나지 못하는 상태다. 셋째, '사회적 거리 두기'라는 비약물적 수단non-pharmaceutical measure은 사회적 과학이라 할 수 있지만, 미국 같은 나라에서는 정치적 경쟁, 경제 불평등, 인종주의 등의 맥락과 틀 안에 있다.

감염병의 정치경제란 정치적 또는 경제적 요인이 감염병(발생, 유행, 확산, 통제)에 영향을 미치거나 거꾸로 감염병이 정치 또는 경제에 영향을 준다는 의미를 넘는다. 상호관련성으로 설명하면 감염병은 국제 또는 국내 정치경제의 구조, 메커니즘, 작동 등과 분리해 설명할 수 없다는 뜻에 가깝다. 서로 영향을 미치는 차원을 넘어, 서로를 규정하며 또한 규정된다.

대표적인 것이 불평등 문제다. 감염병에 더 많이 걸리고 죽을 뿐 아니라, 발생부터 유행과 확산, 대응, 결과와 영향에 이르기까지 모든 현상과 사건은 대체로 경제적 약자에 불리하다. 이는 이들이 생물학적으로 취약하기 때문만이 아니며(생물학적 취약성조차 흔히 사회적으로 결정된다), 병원체와 인간, 다른 비인간non-human(예를 들어 주거, 노동 조건, 보호구 등), 사회의 심층 구조(노동 시장, 노사관계, 사회 계급 등)에서 비롯된 결과이다.

신종 감염병과 인수 공통 감염병

사스, 메르스, 신종 인플루엔자 에이, 코로나19 등은 모두 인수 공통 감염병人獸共通感染病으로, 이는 동물이 자연 숙주인 병원체가 인간에게 전파되어 감염을 일으킬 때 그 감염병을 일컫는 말이다. 이 감염병들은 또한 '신종emerging'으로 분류되는데, 이는 그동안 인간에게 해를 입히지 않던 병원체가 새로 감염병을 일으킨다는 뜻이다.

감염병 발생의 정치경제는 질병 발생의 원인遠因, upstream cause에 주목한다. 여기서 '원인'이란 좀 더 구조적이고 근본적인 요인이란 뜻으로, 직접 원인과는 대조적인 개념이다. 결핵의 직접 원인이 결핵균이라면, 원인은 타고난 신체적 소인 또는 빈곤과 같은 사회적 요인을 가리킨다. 어느 지역의 식습관이나 환경 조건을 특정 감염병 사건(예를 들어 코로나19)의 직접 원인으로 지목할 수 있으나, 이로써 사스, 중동호흡기증후군, 신종인플루엔자A, 코로나19 등 신종 감염병이 연속 발생하는 경향성을 설명하기는 어렵다.

오래전부터 인류와 공존해온 인수 공통 감염병이 그것도 신종의 형태로 늘어나는 이유가 무엇일까? 대부분 전문가는 인간과 동물의 접촉이 빠른 속도로 증가한 것에서 '원인'을 찾는다. 전에 없던 대규모 산림 파괴와 경지 개발 등이 사람과 동물이 더 자주 밀접하게 접촉하도록 부추기고, 그 결과 동물에 있던 병원체가 더 쉽게 인간에게 전파된다는 것이다. 생태계가 달라지면서 병원체의 변이가 더 쉽게 일어나는 것도 중요하다.

예를 들어, 밀림의 야생 동물에게 존재하던 에볼라 바이러스는 숲이 없어지면서 인간과 거리가 가까워지고, 바이러스는 새로운 환경에서 스스로 변화하며 인간에게 전파된다. 에볼라가 발생한 서부 아프리카 27개 지역을 조사한 결과 최근 산림을 없앤 지역에서 유행 확률이 더 높았다는 연구는 이러한 신종 감염병 발생의 정치경제를 뒷받침한다. 1998~1999년 말레이시아에서 100명 이상의 사망자를 낸

니파 바이러스 유행 또한 숲을 파괴하여 양돈 농장을 확대한 결과라고 추정한다.

인수 공통 감염병이 유행하기 쉬운 조건, 즉 산림을 없애고 경지를 확대하며 숲속에 축산 농장(공장)을 짓는 일은 각 경제 주체의 동기나 행동만으로 설명할 수 없다. 이런 현실 변화의 심층에는 지구적 규모의 정치경제 구조가 실재한다. 아마존 열대 우림을 대규모로 파괴한 후(여러 감염병 발생과 유행의 '원인' 중 하나로 추정한다) 바이오 연료 생산용 작물을 재배하는 이유는 세계적 에너지 생산-소비 체제를 빼고는 설명하기 어렵다. 대상과 영역이 농업, 임업, 축산업 그 무엇이든, 새로운 환경과 조건은 세계적 규모로 구축된 불평등한 국제 분업 체계의 직접적 결과물이다.

감염병 유행과 확산의 정치경제

현재의 세계화된 자본주의 시장 경제 체제는 작은 유행병이 지구적 범유행(팬데믹pandemic)으로 퍼지는 좋은 조건을 제공한다. 세계화로 국가 간 교역과 인구 이동이 극적으로 증가했을 뿐 아니라, 상호 의존성과 상호 연결성이 커지면서 감염병 확산의 양상도 달라졌다. 과거와 같은 국경에서의 '검역'만으로는 확산을 막기 어렵다.

예를 들어, 코로나19가 유행한 이탈리아 북부는 의류와 섬유 산업을 중심으로 중국(특히 우한 지역)과 긴밀하게 연결된 지역으로, 교류가 빈번하고 인구 이동이 많아 중국 내 유행이 알려지기 전부터 이미 신종 감염병이 전파, 확산했을 가능성이 크다고 한다. 세계화된 경제 체제에 편입된 이상 어느 국가도 이동과 연결의 조건, 그리고 상호 작용과 상호 의존을 벗어날 수 없으므로, 감염병 유행과 확산은 국제 정치경제와 불가분의 관계에 있다.

현재까지 입국 금지나 봉쇄와 같은 방역 기술(과학)로는 유행과 확산을 막기 어렵다는 것이 정설이다. 이동을 막는 것은 검역의 부담을 줄이는 의미 이상이 되기 어렵고, 많은 경우 감염 유입을 방지하는 정책을 실행하는 것도 불가능에 가깝다. 감염병의 특성상 감염 발생을 확인하기 상당 기간 전부터 이미 유행이 진행되었을 가능성이 크다는 점이 가장 중요하다.

한국에서 논란을 빚었던 중국 경유자 입국 금지 문제만 해도 그렇다. 당시도 그랬고 지금 판단도 마찬가지로, 입국 금지 요구가 나오기 전 이미 감염이 유입되었을 가능성이 크다. 중국이 코로나19 발생을 세계보건기구에 보고하기 전에 이미 프랑스에 환자가 발생했다는 연구가 발표되었고, 유전자 분석 결과 세계 여러 나라에서 2019년 말부터 유행이 시작되었다는 분석도 있다.

과학적 근거가 약해도 국가 간 이동을 금지하는 조치를 택하는 것은 주로 정치적 목적, 그것도 주로 국내 정치용이다. 전통적으로 감염병 대응과 그 결과는 국가 권력과 정부의 책임으로 인식되었고, 코로나19 유행에서도 대부분 국가에서 국가 권력의 유능함이 정치적 의제로 등장했다. 팬데믹, 그리고 외래 감염병일수록 감염병의 원인을 외부로 돌려 국가 권력과 정부의 정치적 책임을 회피하려는 동기가 생긴다. 국경 봉쇄와 이동 금지는 감염병의 '타자화'를 위해 직접적이고 가시적인 대응 조치로, 세계화 시대에도 국민국가의 국가 권력이 동원할 수 있는 가장 강력한 개입 수단이다.

감염병 확산과 유행을 촉진하는 중요한 요인 중 하나로 도시화를 꼽지 않을 수 없다. 이때 도시는 단지 인구가 많고 밀집한다는 물리적 조건의 의미를 뛰어넘는다. 현대 도시는 세계화와 밀접한 관련이 있으며, 특히 신자유주의적 세계화가 도시를 기반으로 진행된다는 점이 중요하다. 감염병 확산의 온상이라 할 수 있는 도시가 날로 늘어나고 커지는 것이 세계적 추세다.

코로나19가 처음 발생하고 전파된 중국 우한이 이런 도시화를 대표한다고 할 수 있는데, 중국 국내 도시와 경쟁하면서 동시에 세계의 거대 도시와 경쟁한다. 우한은 세계적 산업 생산 기지이자 중국 내 교통과 교육 중심지로, 신자유주의적 도시화의 여러 특성을 고루 갖춘 곳이다. 예를 들어, 춘절 기간 고향을 찾아 이 지역에 머물렀던 500만 명 이상이 우한 봉쇄 전에 다른 지역으로 빠져나가 전파와 유행에 결정적으로 이바지한 것은 우연이 아니다. 수많은 이주 노동자 또한 다른 지역과 나라로 흩어져 곳곳에 감염원이 되었다.

감염병에 대응하는 보건 의료와 사회경제 체계/체제

건강, 보건, 의료, 그리고 시스템(체계)에 대한 이해

이 글을 읽는 독자 대부분이 건강이나 보건 분야 전문가가 아닌 것으로 전제하고, '건강'이라는 말과 '보건', 그리고 '의료'(또는 보건과 의료를 포괄하는 '보건의료')가 무엇을 뜻하는지 간단하게 구분하여 설명한다. 결론부터 말하면, 보건의료는 건강을 추구하는 인간의 사회적 활동(투입)이고, 건강은 그 활동의 결과물(산출)이다. 둘은 차원이 다르고 순서도 다르다. 병원에 자주 가고 부지런히 약을 먹는다고 건강한 것은 아니다. 오히려 그 반대일 가능성이 크지 않은가? 이 둘 사이에는 밀접한 관련이 있지만, 보건 의료는 건강이라는 결과물을 산출하는 데에 영향을 미치는 여러 요소 가운데 하나일 뿐이다.

보건과 의료는 어떻게 다른가? 일반적으로 보건, 의료, 보건의료 등이 모두 쓰이지만, 보건 의료는 독립적 개념이라기보다 보건과 의료를 엄밀하게 구분하기 힘들어 둘을 합쳐 쓰는 말이다. 여기서는 기존 용법과 논의를 기초로 삼아 보건과 의료를 비교적 간단한 개념으로 규정하고자 한다.

보건의 개념은 널리 알려진 편이 아니다. 전통적으로 보건은 영어의 'public health'와 상응하는 것으로 이해했으나, 둘이 완전히 일치하지는 않는다. 아직 '공중 보건'이라는 말도 쓰이고 'health services'가 보건 서비스를 뜻할 때도 있다. 이러한 맥락에서 '보건 정책'은 주로 공중 보건 정책 또는 집단을 대상으로 하는 정책을 뜻하고, 최근 용어로는 개인 건강 서비스personal health services와 대응되는 개념인 집단 건강 서비스population health services를 다루는 정책을 가리킬 때가 많다.

의료는 주로 개인 건강 서비스를 가리킨다. 이런 방식으로 개인 서비스(=의료)와 집단 서비스(=보건)를 구분하면, 예를 들어 예방 접종은 개인 서비스인 동시에 집단 보건의 대상이자 실천이기도 하다. 각 개인이 받는 예방 접종은 보건 의료 서비스와 그 편익이 모두 개인에게 귀속되어 개인 건강 서비스의 속성이 있지만, 집단 면역을 달성하려는 사회나 집단의 집합적 실천(기획, 정책, 사업, 평가와 모니터링 등)은 집단 건강 서비스로 분류해야 한다. 같은 논리로, 개인 서비스에 영향을 미치는 대부분 사업과 정책, 개입은 집단 보건(서비스)에 해당한다.

결국, 코로나 19로 확진된 환자 개인을 병원에서 치료하는 것은 개인 건강 서비스(=의료)로 분류할 수 있고, 사회적으로 유행을 막고 확진자를 중증도에 따라 관리하며 적절한 병원 시설과 의료 인력을 준비하는 일은 모두 집단 건강 서비스(=보건)의 영역에 속한다고 할 것이다. 예방 접종의 예에서 보았듯이 현실에서는 의료와 보건을 엄밀하게 구분하기 어려워 흔히 '보건 의료'라는 말을 통합적으로 사용한다.

코로나 19 유행과 그 대응에 관해서는 보건, 의료, 보건 의료를 가릴 것 없이 모든 현상과 실천이 시스템(체계)에 토대를 두고, 그 안에서 이루어지며, 또한 그 제약을 받는다는 사실이 중요하다. 감염 여부를 판단하는 데는 바이러스 검사가 전부인 것처럼 알기 쉽지만, 잘 짜이고 작동하는 체계(시스템)가 없으면 최종 산출물로서의 검사는 불가능하다. 여러 사람을 검사하는 것은 더 말할 필요도 없으나 한 사람을 검사하는 것도 다르지 않다. 연구를 통해 미리 검사법이 개발되어 있어야 하고, 실용 제품을 생산하고 보급할 수 있어야 하며, 여러 전문 인력, 장소와 시설, 관련 지식, 그리고 무엇보다 중요한 재원(돈)이 있어야 한다. 이들 요소가 그냥 존재할 뿐 아니라 계획, 연계, 관리, 규제, 지침 등이 함께 '체계'를 이루어 작동한다.

한국 보건 의료 체계와 코로나19 대응 — 공공성과 공공 보건 의료

코로나 유행에 대한 대응은 곧 한국 보건 의료 체계 전체의 대응일 수밖에 없다. 체계의 핵심 요소이자 행위자에 속하는 질병관리본부는 널리 알려졌으나, 체계의 나머지 요소는 명확하게 드러나기 어렵다. 시민이 볼 수 있었던 것은 주로 체계가 작동한 결과, 최종 산출물이다.

2020년 6월 초 현재 비교적 좋은 평가를 받은 요소는 초기부터 적극적으로 감염자를 찾아내고(검사, 확진), 추가 접촉을 최소화하며(추적, 역학 조사), 해당자에 따라 격리 또는 치료하는 방역 프로그램을 가동했다는 것이다. 보건 의료 체계라는 시각에서 보면 이러한 방역은 전체 상황을 지휘하는 질병관리본부와 보건복지부, 검사와 역학 조사에서 중요한 역할을 한 보건소와 시군구 정부, 일부 검사와 치료를 맡은 의료 기관 등이 제 역할을 제대로 했기 때문에 가능했다. 정부 재정과 건강보험이라는 재원이 뒷받침되었기 때문에 각 주체가 기능할 수 있었다는 점도 무시하기 어렵다.

코로나19 유행이 과거 감염병 유행과 가장 다른 점은 지역 사회 감염을 통해 감염병 유행이 '전국화'했다는 것과 치료가 필요한 환자가 많아 주로 종합병원을 중심으로 진료를 하는 데 '과부담'(또는 '과부하')이 생겼다는 것이다. 다른 많은 나라에서도 비슷한 문제가 나타났는데, 특히 환자가 일시에 발생해 평시 의료 체계가 사실상 마비된 국가와 지역이 속출했다. 중국의 우한, 이탈리아 북부 지역, 미국의 큰 도시들, 스페인 등이 이에 해당한다. 한국에서는 대구 지역에서 환자가 대규모로 발생해 한때 2000명 이상의 확진자가 입원하지 못하고 자가 격리 상태에 있었다.

감염병 확진자, 특히 중증 환자를 제대로 치료하지 못하면 당연히 인명 피해가 커진다. 유럽의 여러 국가와 미국의 뉴욕, 브라질 등에서는 많은 환자가 발생했으나 의료 시설(예를 들어 중환자실)과 병상, 전문 인력, 호흡기 등의 장비가 부족해 많은 사망자가 나왔다. 부족한 자원을 배분하기 위해 우선순위가 낮은 환자(중증이나 고령 등)는 치료를 포기하는 사태까지 벌어졌다.

보건 의료 체계에 부담이 가중되어 제대로 작동하지 못하면 코로나19 환자를 제대로 치료할 수 없을 뿐 아니라 치료가 필요한 다른 환자도 영향을 받는다. 응급실과 중환자실에서 일반 환자 치료

기능이 줄어들고, 감염에 취약한 병원 기능(예를 들어 중증 기저 질환을 앓는 환자에 대한 치료)은 중지될 수 있다. 취약성이나 위험 인식이 높은 많은 환자는 스스로 의료 이용을 피하거나 알맞은 의료기관을 찾아 평시보다 더 많은 부담을 지게 된다.

감염병이 유행하고 불안과 공포가 커지면 전체 진료 기능이 타격을 받고 '일반' 사망자가 함께 늘어난다. 한국 상황을 정확하게 분석하기는 아직 어려우나, 통계청이 발표한 자료에 따르면 2020년 1~3월 사이 많은 지역에서 코로나19 사망자보다 훨씬 많은 초과 사망자(예년 같은 시기의 평균 사망자 수와 비교하여 더 많이 발생한 사망자 수)가 발생했다.

결국, 코로나19 유행에 따른 직접적인 건강 피해는 대부분 '의료 체계'의 특성과 문제점에서 나온 것이라 해야 한다. 시설과 인력 등 보건 의료 체계의 각 요소의 양과 질이 필요(요구 또는 수요)보다 부족하면 건강 피해가 커질 수밖에 없다. 유의할 것은 이때 말하는 '부족'이 상대적이라는 점이다. 지역 내에 충분한 자원이 없을 때는 말할 것도 없지만, 충분한 자원이 있어도 감염병 환자가 이를 활용할 수 없거나 총량보다 필요와 요구가 더 크면 대응은 실패한다.

한국의 보건 의료와 그 체계가 민간 중심이라는 사실은 널리 알려졌지만, '민간형'보다는 '시장형' 체계라고 불러야 더 정확하다. 건강보험을 제외하면 대부분 보건 의료 서비스는 일반 시장의 재화나 서비스와 크게 다르지 않은 원리에 기초해 있다. 문제는 감염병을 비롯한 상당수 건강 문제와 보건 의료가 이러한 시장 원리와 잘 조화하지 않는 점에 있다. 코로나19 유행으로 드러난 체계의 문제점을 공공성과 공공 보건 의료 강화로 해결해야 한다는 주장이 설득력이 있는 이유다.

코로나19 유행에서 교훈을 얻은 첫 번째 공공성 강화 방안은 공공 보건 의료 인프라를 적정 수준 이상으로 확대하는 것, 즉 기본 '양'을 확보하는 일이다. 이미 대구에서 경험한 것과 같이 어느 정도 숫자의 공공 병원과 병상, 장비, 이를 책임질 인력이 모자라면 비상시 진단과 치료가 늦어지고 중환자도 적시에 치료를 받지 못한다. 때로는 단순한 혼란과 불안을 넘어 생사가 갈릴 수도 있다. 초기에 기본 토대를 즉시 가동해야 하며 초기 충격을 완화하는 역할을 해야 한다.

또 한 가지 중요한 인프라는 '공공 보건 의료 시스템' 강화라고 부를 수 있는데, 이 또한 대구의 경험에서 교훈을 얻을 수 있다. 공공 병원이나 병상의 기본선을 확보해도 필요와 요구가 넘치면 공공뿐 아니라 시장 원리의 지배를 받는 민간도 마치 공공처럼 기능해야 한다. 민간 자원을 동원하고, 행정 구역을 넘어 협력하여 환자를 이송할 수 있어야 하며, 관리 주체와 무관하게 연수원이나 숙박 시설까지 활용할 수 있어야 한다. 여러 분야의 담당자, 재원, 책임, 소통이 조정, 연계, 통합되어야 이런 종합적 대응이 가능하고, 흔히 말하는 공공-민간 협력이 아니라 민간 부문까지 공적 체계로 편입하여 통합적으로 운용해야 이를 공적 시스템 강화라 부를 수 있다.

감염이 전국화하는 경향을 보였다고 했지만, 이는 아울러 '지역화'와 함께 진행된다. 대구를 비롯해 단기간에 많은 환자가 발생한 지역이 있는가 하면, 일부 지역은 확진자와 중환자가 적어 병원 수요가 미미한 곳도 있었다. 지역화란 점에서는 전통적 방역과 사회적 거리 두기도 마찬가지인데, 지역에 따라 위험이 다르므로 대응 방법도 지역 맞춤형이어야 한다. 대응에 필요한 자원과 역량도 당연히 지역 차가 나타난다. 이런 맥락에서, 앞서 말한 공공성 강화의 두 가지 전략, 즉 공공 보건 의료의 기본 '양'을 확보하고 공공 보건 의료 시스템을 강화하는 실천의 장場도 지역화가 불가피하다.

사회 체제의 공공성

감염병 유행에 적절하게 대응하는 데는 보건 의료 체계를 넘어 여러 사회 체계가 통합적으로 기능하는 것도 중요하다. 예를 들어 코로나19의 지역 사회 감염과 집단 감염을 억제하는 데는 방역 당국과 보건 의료 당국뿐 아니라 정부의 여러 부처가 큰 역할을 했다. 중앙 정부의 지휘, 통괄 기능과 아울러 영역별로 보건복지부-의료, 요양, 복지 기관, 교육부-학교, 고용노동부-사업장, 국방부-군대, 지방 정부-소규모 사업장과 업체 등으로 구분되어 사회적 차원의 방역(예를 들어 사회적 거리 두기)을 실천할 수 있었다.

문제는 현행 사회 체계/체제가 감염병 대응에 할 수 있는 역할이 제한적이라는 점이다. 예를 들어, 교육 당국은 학교를 닫음으로써 감염병 유행을 억제하는 데 이바지했지만, 바로 그 교육 체제 때문에 일정 기간 이상 사회적 거리 두기를 할 수 없는 딜레마에 직면해 있다. 유행이 길어질수록 사회적 거리 두기의 '불가능성'은 점점 더 뚜렷해질 것이다. 사회적 거리 두기를 실천할 수 있는 집단을 위해 또 다른 어떤 집단은 위험을 감수해야 하며 더 많이 노동의 부담을 져야 한다. 불평등은 극단까지 나빠진다. 이런 구조라면 당연히 방역은 불완전하고 사회는 더 불안하다.

사회적 거리 두기와 봉쇄는 '필수essential 노동'이 무엇인지 확인하는 구실을 했지만, 아울러 사회적 거리 두기를 비롯한 '비약물적(사회적)' 방역이 체제의 근간을 흔든다는 사실을 드러냈다. 모든 사회 구성원이 완전히 사회적 거리 두기를 실천하면, 그리하여 공장과 직장까지 멈추면, 결국 자본주의 시장 경제 체제가 무너지는 딜레마, 아니 체제적 모순이 사회적인 것의 본질이다.

구조적으로는 '권력 관계'의 불평등과 불균형이 핵심이라는 점을 지적하고자 한다. 자본주의 시장 경제에서 학교, 종교 단체, 자산가와 부유층, 전문직 등은 비교적 쉽게 이 방법을 실천할 수 있으나, 노동자나 영세 자영자, 중소기업 등은 상대적으로 사회적 거리 두기를 실천하기 어렵다. 노동을 강제하거나 소득 감소를 보전하는 데는 예외 없이 '권력' 문제가 개입하기 때문이다. 미국의 많은 노동자는 시간제 임금을 받거나 유급 휴가가 없어 일을 쉴 수 없고, 따라서 이들에게 일터에 나가지 않는 사회적 거리 두기는 실천할 수 없는 방역 기술이다.

사회 체계/체제에 내재한 권력 관계의 한계를 넘을 때 앞서 강조한 '사회적인 것'의 역할이 도약할 수 있다. 상병수당이 충분하다면 아플 때 직장을 쉬자는 방역 지침을 훨씬 쉽게 실천할 수 있고, 노동자의 권리가 보장될수록 작업장 환경을 좀더 안전하게 고칠 수 있다. 이는 감염병 유행을 예방하거나 억제하는 데, 또는 사회경제적 피해를 최소한으로 줄이는 데 사회 체제 여러 층위에서 민주주의 또는 '민주적 공공성'의 역량이 축적되고 발휘되어야 한다는 것을 뜻한다. 민주적 공공성은 감염병 확산을 억제하는 유력한 방법일 뿐 아니라(도구적 가치), 사회 구성원과 당사자가 스스로 중요한 의사결정과 실천 방법에 직접 참여한다는 의의가 있다(내재적 가치).

국제 보건과 국제 정치경제

팬데믹과 국제적 대응의 필요성

개별 국민국가가 각자도생 식으로 팬데믹에 대응하는 상황은 역설이자 모순이다. 코로나19의 발생과 유행부터 그랬지만 이 사태가 완전히 세계적, 지구적 차원의 문제임은 처음부터 분명했다. 마땅히 세계 차원으로 대응해야 하나, 현실은 국가별 대응, 그것도 고립주의적이고 자국 중심적 경향이 뚜렷하다.

한국은 그 어느 나라보다 '전지구적 코로나'의 영향이 더 크다. 감염병이 외국에서 유입되었고 많은 감염자가 외국에서 들어왔다는 사실은 한 가지 단면일 뿐, 사회경제적으로는 어떤 나라와 비교해도 교역과 외국 경제 의존도가 높은 곳이다. 각 나라가 각자도생의 원리에 의존할 때 가장 큰 피해를 볼 것이 뻔하다.

심지어 자국 중심으로 보더라도 코로나19의 세계화, 즉 팬데믹이 던지는 메시지, 그리고 이에 담긴 보편적 원리는 분명하다. 각 나라가 코로나 발생을 억제하고 안정되는 것은 단지 출발일 뿐, 세계가 같이 해결해야 개별 국가도 안전할 수 있으며 빠르게 경제를 회복할 수 있다. 세계적 연대는 그저 구호가 아니라 스스로 사는 유일한 길이기도 하다. 코로나에 대응하는 각 나라 시민은 아울러 세계 시민이어야 한다.

현실은 국민국가 중심으로 팬데믹에 대응하지만, 그 모순과 불가능성이 점점 더 크게 드러날 가능성이 크다. 예를 들어, 가장 강력한 국가 간 이동 금지로도 감염 확산을 막을 수 없고, 가능하다 하더라도 한 국가의 사회경제적 고립은 일정 기간을 넘기 어렵다. 생산과 소비가 세계 모든 국가를 연결하는 국제적 경제 체제에서 특정 국가의 감염병 유행이 간접적으로 다른 나라에 영향을 미치는 것도 무시할 수 없다.

팬데믹은 국민국가와 국제사회(글로벌 커뮤니티) 사이의 긴장을 피할 수 없으며, 말 그대로 모든 나라에서 '끝날 때까지 끝난 것이 아니다'. 벌써 유행이 끝났다고 선언한 국가가 나타나지만 팬데믹의 특성상 한 국가만의 종식은 성립할 수 없다. 이제라도 글로벌과 지역regional 수준의 협력과 연대가 절실한 이유다. 문제는 기존 국제 체제의 무력함이 드러난 지금 새로운 협력 체제를 어떻게 구축할 수 있는지 하는 것이다.

아직 명확하게 전망하기는 이르나, 새로운 국제 체제의 원리가 코로나19 유행과 그 대응이 남긴 교훈에 기초해야 한다는 것만큼은 분명하다. 그중에서 가장 큰 교훈은 팬데믹이 시작됨과 동시에 대부분 국제 거버넌스가 사실상 붕괴하고 개별 국가 중심, 특히 이른바 강대국 중심의 국제 질서로 되돌아갔다는 점이다.

따라서 코로나 이후 새로운 관계란, 국가 권력이 구성하는 '국제 관계'를 넘어 좀더 넓고 깊으며 강한 시민의 연대와 협력을 토대로 삼아야 할 것이다. 이를 관통하는 핵심 원리는 세계 수준과 범위의 공공성, 즉 세계 시민이 실천해야 할 '민주적 공공성'이 아닌가 한다.

국제 보건과 불평등 완화

그동안 국제적 수준과 범위에서 공공성을 실천하는 가장 유력한 메커니즘이자 수단은 넓은 의미의 국제 협력이었으며, 보건 의료 영역에서는 국제 보건이 국제 협력의 실천을 대표해 왔다. 코로나19 유행이 금방 끝날 것으로 예상하기는 어렵지만, 코로나 이후 국제 협력과 국제 보건도 필시 '뉴 노멀'로 변화할 수밖에 없을 것이다.

과거를 그대로 회복하기는 불가능하다고 할 때, 뉴 노멀의 토대를 이루는 원리는 무엇일까? 포스트 코로나의 세계 체제에서 자국 중심주의가 더 강화될 것이라는 전망이 실현되면, 새로운 국제 협력과 국제 보건 또한 각 국가의 이해관계를 그대로 반영할 공산이 크다. 중국을 옹호한다는 이유로 세계보건기구를 탈퇴하겠다고 선언한 미국의 태도는 이러한 변화를 상징하는 것일 수도 있다.

새로워 보이지만 어떤 의미에서는 이미 익숙한 것일 수도 있다. 국제 협력의 다양한 동기 가운데 가장 설명력이 높은 것 중 하나가 '현실주의(현실론)'로, 이는 국제 협력이나 국제보건의 윤리적 근거가 따로 존재하지 않고, 참여와 실천은 오로지 각 나라의 자기 이해에 기초해 있다고 주장한다. 코로나19 유행과 팬데믹 상황에서 개별 국가가 행동하는 방식은 이미 이런 현실론과 가장 가까운 것으로 보인다.

건강과 보건을 둘러싼 국제 협력의 원리는 현실주의와 잘 조화하지 않는다. 조화하기 어렵다는 것이 더 정확한 표현일 것이다. 국제 보건의 전통은 현실론과 멀리 떨어져 있는데, 많은 행위자가 동의하는 국제 보건의 핵심 가치는 국내, 국제적으로 건강 불평등을 줄인다는 것이다. 여기서 건강 형평성은 인도주의의 본질 또는 근본 동기와 완전히 부합하는 것으로, 국제 협력의 현실론으로는 이런 지향성을 설명하기 어렵다.

건강 형평성이 좀더 근본적인 도덕적 질문, 즉 사회 정의가 무엇인가 하는 질문과 연관이 있다는 점도 중요하다. 존 롤스John Rawls와 아마르티아 센Amartya Sen 등이 주장하는 대로 공정한 기회opportunity나 능력capability이 사회 정의의 핵심이면 건강의 형평은 이를 가능하게 하는 핵심 요소라 할 수 있다. 건강은 모든 사람에게 동등하게 적용되는 보편적 권리이며, 이것이 불평등한 상태는 정의롭다고 할 수 없다. 그 사람이 어느 장소에 있든 혹은 어떤 사회적 관계에 속하든 마찬가지이다.

세계화된 감염병, 즉 팬데믹은 직접, 간접으로 국가 내, 국가 간 불평등을 조장하며 촉진한다. 국제 보건의 협력이 형평성을 토대로 하는 것이면 팬데믹이야말로 국제 보건의 가치와 목표를 달성해야 하는 핵심 과제다. 국제 협력과 국제 보건의 자원이자 방법인 시민의 연대와 협력 또한 우연적이고 무차별적이기보다는 팬데믹의 모든 측면과 단계에서 불평등을 줄이고 없애는 쪽을 지향한다.

불평등의 정치경제 — 약품과 백신의 경우

팬데믹의 정치경제, 특히 이를 둘러싼 불평등한 국제 질서를 눈에 띄게 드러내 보이는 것이 앞으로 팬데믹 대응의 핵심 요소가 된다는 백신과 치료 약품이다. 물론, 이 불평등은 코로나19에만 해당하지 않는다. 보건의료 자원 중에서도 특히 약품과 백신에는 이윤 창출과 자본 축적을 핵심 목표로 하는 국제적 제약 기업과 자본이 개입하는 일이 흔하다. 신자유주의적 자본주의 질서에서 이를 둘러싼 정치경제는 필연적으로 국제와 국내 불평등을 초래한다.

예를 들어, 미국, 유럽, 일본 등의 다국적 바이오 제약 기업은 지식 재산권을 매개로 각국 정부의 통상 정책과 세계무역기구WTO에 영향을 미치려 하며, 때로 국가 권력을 동원한 통상 보복도 마다하지 않는다. 1987년 6월 미국제약협회는 브라질이 자신들의 약에 대한 지식 재산권을 침해한다고 무역대표부에 제소했고, 협상이 실패하자 레이건 행정부는 관세를 크게 올리는 방식으로 브라질을 제재했다. 이후 미국과 브라질 사이의 교역, 그리고 브라질 국민의 약품 이용과 비용 부담이 어떻게 변화했는지 쉽게 예상할 수 있다.

코로나19에 대한 백신과 치료 약제는 실용화되기 전이어서 혁신 신약과는 다르지만, 이윤을 최대화하고 자본을 축적하려는 다국적 제약 기업의 동기 또는 이해관계는 그 원리가 크게 다르지 않다. 이들 다국적 제약사 또는 바이오 기업은 미래에 충분한 수익이 보장되지 않으면 백신과 치료제 개발에 나서지 않으려 한다. 최근 경쟁적으로 백신과 치료제 개발에 참여한다는 많은 기업도 실물에서 얻을 이익보다는 주식 시장에서 기업 가치를 올려 금융 수익을 추구하는 행태를 보인다.

치료제와 백신이 개발된 후 한정된 자원을 어떻게 배분하는지도 이와 무관하지 않은 중요한 관심사이자 과제다. 개발, 생산, 배분의 전체 과정이 시장 논리에 충실할수록 국가 내, 국가 간 불평등이 커지는 것은 분명하다. 저소득 국가에서, 그중에서도 저소득층은 백신과 치료제에 접근하기 어려울 것이다.

이런 불평등에 대응하려는 노력 가운데 하나가 바로 공공성에 기초한 국제 협력이다. 대표적인 예가 세계보건기구를 중심으로 한 지식 재산권의 공공성 강화 움직임으로, 코로나 팬데믹이 촉발한 새로운 국제 보건 거버넌스의 단초라 할 수 있다. 2020년 5월 열린 세계보건총회는 코로나19 대응에 진단 기기, 치료제, 백신 및 기타 의약품을 공평하게 사용할 수 있도록 지식 재산권의 장벽을 제거하자는 결의안을 채택했다. 한편, 백신에 대한 연구 개발과 임상 시험 등도 국제 네트워크를 구성하고 시장 논리를 넘어 공공성을 강화하려는 움직임이 활발하다.

더 읽을거리

김수련 외 지음, 《포스트 코로나 사회》, 글항아리, 2020

코로나19 유행이 한국 사회에 미친 영향을 12명이 다양한 관점에서 분석하고 조망한다. 건강과 보건 의료를 비롯해 인권, 혐오와 차별, 돌봄, 기후 변화, 심리, 종교 등을 따로 또 함께 생각할 수 있다. 경험을 바탕으로 보편적 인식에 이르는 글들에서 현장감에 더해 이 시기에 필요한 성찰과 사유의 재료를 발견할 수 있다.

김창엽, 〈'시민참여형' 또는 '시민주도형' 방역은 가능한가?〉, 《에피》 12호, 2020

국가 또는 전문가가 주도하는 방역과 보건 모형을 벗어나 참여와 민주주의를 '주류화' 하자는 제안이다. 방역에 관한 기술적 대안이라기보다는 국가와 전문가에 치우친 지식과 과학기술 권력의 분포를 비판하는 작업으로 이해할 수 있다. 감염병이 '사회적인 것'이고 정치경제에 밀접히 관련돼 있다는 사실을 구체적 사례와 대안을 들어 해명하려는 시도이기도 하다.

2부
방역

3장

‘케이 방역’은 어떤 민주주의를 보여주고 있을까?

김의영

우리는 코로나 바이러스를 막고 우리의 건강을 지키기 위해 전체주의적 감시 체제를 동원하지 않아도 된다. 이런 일은 시민의 역량을 통해서도 가능하다. 최근 몇 주 동안 코로나 바이러스 확산을 막는 데 가장 성공한 사례는 바로 한국, 타이완, 싱가포르다. 이 국가들 또한 추적 시스템을 동원했지만, 더 중요하게는 폭넓은 검사와 투명한 정보 공개, 자발적으로 참여하는 시민이 있었다. 사람들의 협조를 끌어내는 데 중앙 집권적 감시와 무서운 처벌이 만능은 아니다. 정부가 과학적 사실을 제공하고, 사람들이 정부가 진실을 말하고 있다고 믿을 때, 시민들은 '빅 브라더'가 감시하지 않아도 올바른 일을 할 수 있다. 자신의 이익을 알고 정보를 잘 아는 시민들은 감시받는 무지한 대중보다 강력하고 효율적이다. (유발 하라리, 〈코로나 바이러스 이후의 세계〉, 《파이낸셜 타임즈》 2020년 3월 20일)

'비누 경찰'과 케이 방역

역사학자 유발 하라리는 지난 3월 발표한 글에서 코로나19 사태에서 중국이 보인 전체주의적 대응 방식과 한국, 타이완, 싱가포르가 고른 민주적 대응 방식을 대비한다. 국가의 감시와 처벌에 의존하는 권위주의적 방식보다 시민의 자발적 참여와 협조에 기초한 민주적 방식이 더 효과적이라는 메시지가 핵심이다. 하라리는 '비누 경찰soap police' 이야기를 한다. 사람들은 '비누 경찰'의 감시와 처벌이 무서워 비누로 손을 씻는다고 생각하지만, 실제로는 감염병을 예방하는 데 손 씻기가 효과가 크다는 과학적 사실을 이해한 시민들이 정부 지침을 자발적으로 믿고 따르고 있다는 이야기다.

비누 경찰 비유는 전세계가 주목하는 '케이[K] 방역', 곧 코로나19에 맞서 한국이 선택한 민주적 대응 모델의 요체를 잘 설명한다. 성공 요인은 여러 가지이겠지만, 핵심은 높은 시민 의식을 지닌 시민들이 정부 지침에 부응해 자발적으로 참여하면서 코로나19 위기에 잘 대응할 수 있었다는 사실이다. 이미 알려진 이야기다. 그런데 조금 더 생각하면 다른 의문들이 꼬리를 물고 떠오른다. 코로나19 방역에서 민주주의 방식이 더 효과적이라면, 왜 한국은 비교적 잘 대처한 반면 미국, 영국, 이탈리아 등 다른 서구 선진 민주주의 국가는 상대적으로 어려움을 겪고 있는가? 만약 민주주의 방식의 성공이 시민의 의식과 역량에 달려 있다면, 한국의 시민과 시민사회는 무엇이 다르고 특별해서 케이 방역이 성공할 수 있었나? 한국을 위시해 주로 동아시아 지역 유교 문화권 국가들이 비교적 선방했는데, 혹시 유교적 전통에 관련된 성과인가?

하라리의 짧은 기고문은 아무런 답도 담고 있지 않는다. 다만 이런 내용이 이어질 뿐이다.

> (시민의) 협조를 끌어내려면 신뢰가 필요하다. 사람들은 과학을 믿을 필요가 있고, 공권력을 믿을 필요가 있고, 언론을 믿을 필

요가 있다. …… 수년간 악화돼온 신뢰를 하루아침에 회복하기 란 어려운 일이다. 그렇지만 지금은 보통 때가 아니다. 위기 상황에서는 생각 또한 빠르게 변한다. 형제자매 사이에 격렬하게 싸우다가도 위기 상황이 발생하면 그동안 보이지 않던 신뢰와 우의의 원천을 발견하게 돼 서로 기꺼이 돕는다. 그래서 '감시 체제'를 세우기보다는 과학과 공권력, 그리고 언론을 다시 신뢰하게 하려고 노력해야 한다.

짐작건대 코로나19 위기 상황에서는 신뢰를 구축하려 노력하는 과정에서 민주적 대응을 할 수 있다고 보는 듯하다. 코로나19라는 전대미문의 위기에 직면해 신뢰와 우의의 연대 의식이 발동하는 상황에서, 감시와 처벌이라는 권위주의 방식을 택하기보다는 공적 신뢰를 재구축해 시민의 참여와 협조를 끌어낼 수 있다는 희망의 메시지다. 보편주의universalism에 입각한 낙관적인 시각이라고 할 수 있다. 그렇지만 왜 한국의 케이 방역이 더 효과적인지 답은 하지 못한다.

특수주의particularism와 문화 결정론cultural determinism의 관점에서 케이 방역을 설명하기도 한다. "유교 문화가 선별적 격리 조치를 성공시키는 데 이바지했다. 한국인들에게 개인은 집단 다음이다." 기 소르망Guy Sorman이 한 이런 말이 대표적이다. 《월스트리트 저널Wall Street Journal》에 실린 한 기사도 비슷한 해석을 내놓는다. "유교주의의 문화적 각인이 남아 있기 때문에 위기 때는 가부장적 국가가 마음대로 국민의 삶을 침해할 수 있다." 어느 프랑스 변호사는 이런 주장까지

한다. "중국이 전자 감시 체계를 도입해 시민들을 무참히 억압했고, 한국도 마찬가지다. …… 이 국가들은 개인의 자유가 있었다고 하더라도 이미 오래전에 포기한 곳들이다." 이런 사람들은 유교 문화의 권위주의와 집단주의 유산을 강조하면서 한국의 민주적 모델에 회의적인 시각을 견지하며 평가 절하한다. 성공적인 방역은 민주적 시민의 역량 때문이 아니라 정부 말을 고분고분 잘 듣는 국민성 덕분이라는 이야기다. 민주적 시민 참여가 아니라 신민臣民적 순응이라는 주장이며, 결국 케이 방역은 중국 모델을 대체할 민주적 대안이 아니라 같은 종류라는 이야기다.

케이 방역은 어떤 민주주의를 보여주고 있을까? 나는 케이 방역이 유교주의 전통으로 환원될 수 없으며, 한국의 역사적이고 문화적인 경험을 배경으로 한국 시민사회 고유의 특수성을 드러내는 민주적 대응 모델이라고 생각한다. 유발 하라리의 보편주의와 기 소르망의 특수주의 모두 한국이 한 경험을 온전히 설명할 수 없다.

시민 참여와 민주주의

시민 참여와 케이 방역의 민주주의를 살펴보기 전에 왜 시민 참여가 민주주의가 성공하는 데 중요한지를 생각해보자. 민주주의 논의에서 시민 참여는 일종의 '절대 선' 내지는 미덕으로 받아들여진다. 그러나 회의적인 시각도 있다. 종종 엘리트 민주주의자로 불리는 조지

프 슘페터Joseph Schumpeter는 일반 시민의 정치 능력에 회의적이었고, 시민들의 정치 참여를 제한하려 했다. "전형적인 시민이 정치 영역에 들어서자마자 지적 기능은 낮은 수준으로 떨어진다. 자기 자신의 실질적인 관심 영역 안에서는 유치하다고 인식할 만한 방식으로 주장하고 분석한다. 그 시민은 다시 원시인이 된다." 시민에 관한 슘페터의 회의적인 시각을 보여주는 대표적인 구절이다. 슘페터는 민주주의란 단지 '사람들이 자신을 통치할 사람을 거부하거나 수용할 기회를 얻는 것'일 뿐이며, 시민의 정치 참여도 선거에서 정당이 준비한 지도자들과 포괄적인 정책 패키지를 선택하는 데 머물러야 한다고 생각했다.

미국 건국 초기 인간 본성에 깃든 '파벌의 해악mischiefs of faction'을 경고한 제임스 매디슨James Madison, 같은 직업에 종사하는 자들이 모여 나누는 대화는 담합으로 끝난다고 지적한 애덤 스미스Adam Smith, 사회운동을 대중 운동으로 부르면서 일종의 사회적 병리 현상이자 자유민주주의를 향한 위협으로 인식한 윌리엄 콘하우저William Kornhauser, 참여의 과잉과 과도한 정치적 동원의 위험을 지적한 새뮤얼 헌팅턴Samuel Huntington 등도 시민 참여를 회의적이거나 유보적으로 보는 시각을 대표한다.

정치 문화 연구의 고전인 가브리엘 알몬드Gabriel Almond와 시드니 버바Sidney Verba의 《시민 문화The Civic Culture》는 참여보다는 참여의 절제가 민주주의의 안정과 발전의 원천이라 주장한다. 여기서 시민 문화는 정치 문화의 다른 두 이념형인 참여 문화participatory culture와 신민 문화subject culture의 혼합형으로, 쉽게 말해 시민이 참여를 통해 정부에 영향을 미칠 수 있다고 느끼기는 하지만 대체로 그 영향력을 행사하지 않으면서 정부가 유연하게 결정을 내리고 실행에 옮길 수 있게 하는 온건한 정치 문화를 의미한다. 민주주의의 안정을 위해 시민의 지나친 참여를 지양함으로써 정부 통치의 융통성을 보장해야 한다는 주장이다.

1960년대 이후 이런 '시민 문화 패러다임'에 대항하는 패러다임으로 시민 참여를 좀더 긍정적이고 적극적으로 해석하는 '시민 정치 패러다임'이 부상한다. 서구 학자들은 대체로 시민 정치를 서구 민주주의에서 '탈물질적' 가치 지향을 지닌 시민이 추구하는 새로운 참여 지향적 정치 패러다임으로 본다. 물리적 안보와 물질적 가치를 우선시하던 과거 세대를 넘어 자기표현과 삶의 질을 중시하는 탈물질주의 세대가 등장하면서 이제 시민이 더욱 적극적으로 정치에 참여하려 한다는 얘기다. 또한 비교적 높은 수준의 교육을 받고 정보기술을 활용할 줄 아는 '식견 있는 참여적 시민'이 등장한 데 주목한다.

시민 정치 패러다임은 슘페터처럼 민주주의를 의사 결정을 위한 수단으로 보는 대신 더 많은 참여를 통해 달성해야 할 이상과 목적으로 상정한다. 시민의 역량에 관해서도 더 희망적인 시각을 견지한다. 시민은 참여를 통해 민주주의를 실현하는 데 필요한 역량을 계발하고 배양하며, 참여하면 할수록 더 잘 참여할 수 있게 된다고 주장한다. 또한 중앙 정치 수준의 선거 참여를 넘어 지역과 마을, 직장과 학교 수준의 자치와 협치 등 다양한 수준과 장소의 참여 가능성과 '민주주의 학교'로서 지니는 잠재력에 주목한다.

매디슨이 '파벌의 해악'을 경고했다면, 일찍이 19세기 초 미국을 방문한 알렉시 드 토크빌Alexis de Tocqueville은 시민이 일구는 '결사의 예술art of association'을 발견했다. 애덤 스미스는 담합의 위험을 봤지만, 2012년에 노벨 경제학상을 받은 엘리너 오스트롬Elinor Ostrom은 주민들의 자발적인 노력으로 공유 자원을 더 효율적으로 관리할 수 있는 자치제 방식이 가능하다는 점을 밝혔다. 사회운동은 이제 주변적이고 반제도적인 현상이 아니라 구체적인 정치적 목표를 추구하기 위해 조직된 합리적인 정치 참여 유형이자 정상적인 정치 과정의 일부로 여겨진다. 한국의 촛불 집회가 좋은 사례가 될 수 있다. 참여의 과잉과 과도한 동원의 문제를 걱정하기보다는 투표율과 정당 가입률 하락으로 대표되는 전통적인 정치 참여의 위기 시대에 새로운 민주적 행동주의를 재창조하고 혁신해야 한다는 주장이 제기된다.

시민 정치 패러다임을 살펴보려면 로버트 퍼트넘Robert D. Putnam이 쓴 《사회적 자본과 민주주의Making Democracy Work》를 빼놓을 수 없다. 퍼트넘은 이탈리아의 지방 자치와 민주주의를 연구한 뒤 민주주의의 성패가 사회적 자본, 곧 '시민 공동체의 신뢰와 상호 호혜의 규범과 네트워크'에 달려 있다고 주장한다. 한마디로 능동적이고 평등주의적이며 공익 지향적인 시민들이 서로 신뢰하고 네트워크를 만들어 의욕적으로 참여하는 시민 공동체 전통이 있는 곳에서 민주주의가 성공한다는 이야기다.

먼저 시민 공동체가 구축된 곳에서는 주민을 조직하기 쉽고 더욱 효율적인 공공 서비스를 요구하는 목소리를 정부가 무시하지 못하기 때문이다. 다른 한편 공동 이익을 위해 협력할 줄 아는 시민성을 지닌 주민들이 정책이 실현되는 데 한몫하면서 정부 정책이 성공할 수 있는 시너지를 낼 수 있다. 한마디로 함께 힘을 합쳐 잘 요구할 줄도 알고 제대로 협력할 줄도 안다는 말이다. 반대로 덜 '시민적인' 지역의 시민들은 모래알처럼 흩어져 냉소적인 방관자가 되거나 위계적 후견주의 아래에서 간청자로 살아갈 뿐이다. 이런 곳에서는 지방 자치가 도입되더라도 민주주의가 제대로 작동할 리 없다. 민주주의의 성패는 지방 자치 제도를 제대로 활용할 수 있는 시민 의식과 역량에 달려 있다는 말이다.

정리하면, 다양한 일련의 이론적이고 경험적인 논의로 구성된 시민 정치 패러다임은 시민 문화 패러다임을 대체하는 지배적 패러다임으로 부상했다. '식견 있는 참여적 시민'부터 '사회적 자본' 논의에 이르기까지, 시민 정치 패러다임의 기본적 문제의식은 시민과 시민사회를 중심으로 문제를 파악하고 해결책을 찾으려 하는 데 있다. 이런 점에서 정치 엘리트와 정치 제도, 그리고 의회, 선거, 정당 등으로 구성된 정치사회에 주된 초점을 둔 전통적인 정치학 연구 패러다임하고 차별된다.

앞서 살펴본 대로 유발 하라리는 코로나19를 극복하는 조건과 케이 방역이 성공한 요인을 높은 시민 의식과 자발적 참여와 협력이라는 시민의 역량에서 찾으려 한다는 점에서 기본적으로 시민 정치 패러다임하고 궤를 같이한다. 한국 사례를 본격적으로 분석하기 전에, 이 명제를 기초적 수준에서 검증할 수 있는 국제적 비교 분석을 먼저 살펴보자.

'국제 민주주의와 선거지원 연구원IDEA'이 전세계 47개국을 대상으로 시민 사회 참여와 코로나19 사망률의 관계를 분석한 결과를 보면, 주요 민주주의 지표와 코로나19 대응 주요 성과 지표 사이에 대체로 역의 상관관계가 나타난다.✚ 그중 한국이 포함된 민주주의 국가군은 시민 참여 지표와 코로나19 사망률 사이에 가장 일관된 역의 상관관계를 보인다. 한국을 포함해 시민사회의 참여 수준이 높은 민주주의 국가일수록 코로나19 사망률이 낮다는 말이다. 연구원은 권위주의 국가가 비교 우위를 지닌 '강제력에 기초한 국가 능력enforcement capacity'이 아니라 민주주의 국가의 '시민 참여에 힘입은 회복 탄력성resilience'이 코로나19를 극복한 열쇠라고 해석한다.

아직 가설이기는 하지만, 연구원은 시민사회의 참여 수준이 높은 민주주의 국가는 참여에 관련해 정치적 효능감을 지닌 시민이 정부를 더 신뢰하고 더욱 책임감 있게 행동하며, 다양한 시민사회 조직들이 활성화돼 정부의 보건 정책을 돕는 전달자이자 지지자이자 촉진자 기능을 맡을 수 있고, 시민 참여와 촘촘한 시민 네트워크를 경험하면서 신뢰에 더해 취약 계층을 향한 연대감이 형성될 수 있기 때문이라고 분석한다. 한 가지 덧붙이면 시민사회의 참여가 활성화된 경우 정부를 감시하고 비판하고 견제하는 기능 또한 더 잘 수행하기

✚ https://www.idea.int/news-media/news/resilience-pandemic-not-only-depends-enforcement-capacity.

때문일 수도 있다.

지역과 문화권에 상관없이 시민 참여와 코로나19 대응이 거둔 성과의 상관관계를 보여준다는 점에서 이런 분석은 일단 민주주의의 시민적 역량이 코로나19를 극복하기 위한 관건이라는 하라리의 보편주의적 주장을 지지하는 결과라고 할 수 있다. 같은 이유로, 케이 방역이 거둔 성공이 유교 문화의 집단주의적 유산에 기인한다는 명제를 지지하는 결과로 볼 근거는 없다. 그러나 이런 기초적인 국제 비교 분석만으로 케이 방역이 어떤 민주주의를 보여주는지 설명할 수는 없다. 더 구체적으로 한국 사례를 들여다봐야 한다.

한국의 민주주의와 시민성

먼저 한국의 민주주의의 현황을 가늠하기 위해 주요 민주주의 지표들을 살펴보자. 가장 잘 알려진 지표로 영국 주간지 《이코노미스트Economist》 산하 연구 기관인 '이코노미스트 인텔리전스 유닛EIU'이 매년 발표하는 민주주의 지표를 들 수 있다.✚ 이 지표는 선거 과정, 정부 기능, 정치 참여, 정치 문화, 시민 자유 등 5개 부문으로 나눠 평가한 뒤 평균을 내어 국가별 민주주의 수준을 가늠한다. 2019년 지표를 보면 한국은 평가 대상 167개국 중 23위로, 아깝게 온전한 민주주의

✚ https://www.eiu.com/public/topical_report.aspx?campaignid=democracyindex2019.

full democracy 그룹에 속하지는 못하지만 일본(24위)과 미국(25위)을 앞섰다. 한국은 2008년 이후 줄곧 세계 20위권 초반의 민주주의 국가라는 위치를 유지해왔다. 33년이라는 짧은 민주주의 경험에 견줘 괄목할 만한 성과다.

다음으로 국제 민주주의와 선거지원 연구원의 민주주의 지표Global State of Democracy Indices다. 이 지표는 대의 정부의 수준, 기본권, 정부 견제, 공정한 정부, 정치 참여 수준 등 5개 부문의 98개 지표로 구성되며, 국가별 등수를 매기는 대신 부문별 성과를 상중하로 평가한다. 2018년 지표도 한국의 민주주의를 높게 평가하는데,✚ 정치 참여 부문의 직접민주주의 세부 지표만 '하'를 받고 나머지는 지표를 비롯해 세부 지표는 대부분 '상'을 받았다.

가장 포괄적이면서도 세부적인 민주주의 지표는 '민주주의 다양성 프로젝트Varieties of Democracy Project·V-Dem' 지표다. 이 지표는 민주주의를 자유민주주의, 선거민주주의, 참여민주주의, 심의민주주의, 평등민주주의로 개념화하고 400개가 넘는 민주주의 세부 지표를 활용한다. 2019년 평가에서 한국의 민주주의는 높게 평가되는데, 특히 자유민주주의 부문에서는 주로 유럽 강소국들로 구성된 상위 10퍼센트 그룹에 속해 영국과 독일에 앞서는 세계 12위의 민주 국가로 인정받는다.✚✚ 민주주의 다양성 프로젝트의 2019년 보고서 제목은 헌팅턴

✚ https://www.idea.int/gsod-indices/#/indices/countries-regions-profile.

✚✚ https://www.v-dem.net/media/filer_public/99/de/99dedd73-f8bc-484c-8b91-44ba601b6e6b/v-dem_democracy_report_2019.pdf.

의 '민주화의 제3 물결'을 빗대어 '권위주의화autocratization의 제3 물결'이다. 보고서는 2019년 현재 세계 24개국에서 권위주의화 현상이 나타나며, 전세계 인구의 3분의 1이 권위주의화되는 국가에 살고 있다고 분석한다. 또한 2008년부터 2019년 사이 권위주의화된 국가의 대표 사례로 미국과 체코공화국을 든 반면, 한국은 2008년 대비 민주화 추세가 뚜렷하게 나타난 국가로 제시된다.

민주주의를 점수만으로 평가할 수는 없다. 이런 지표들은 세계적으로 공인된 객관적 기준이기는 하지만, 한국 민주주의를 먼 곳에서 조망한 데 지나지 않는다. 그러나 세 지표 모두 공통으로 한국이 비교적 성공적인 민주주의라는 점을 가리킨다. 게다가 세계적으로 민주주의의 위기, 후퇴, 권위주의화를 걱정하는 때에 한국의 민주주의가 선방하고 있다고 평가된다는 사실은 의미가 크다. 한국은 시민참여 부문을 포함해 민주주의 평가 지표의 거의 모든 부문에서 서구의 선진 민주주의 국가들하고 어깨를 나란히 하면서 좋은 평가를 받고 있으며, 아시아에서도 뉴질랜드와 오스트레일리아하고 함께 최상위 그룹에 속한다. 이런 점들을 보면 한국이 민주적인 방식으로 코로나19에 대응하는 현실이 그다지 놀랍지 않다. 케이 방역이 거둔 성공이 집단주의적이고 권위주의적인 유교 전통 덕분이라는 주장에 의문을 제기하는 결과이기도 하다.

이 의문의 답은 2020년 5월 주간지 《시사IN》과 한국방송KBS이 공동 실시한 웹 설문 조사 '코로나19가 드러낸 한국인의 세계'에서 명확히 밝혀진다. 어떤 성향을 지닌 사람들이 방역에 더 적극적인지를

그림 1 방역 참여 이것이 결정했다

(출처: https://www.sisain.co.kr/news/articleView.html?idxno=42132)

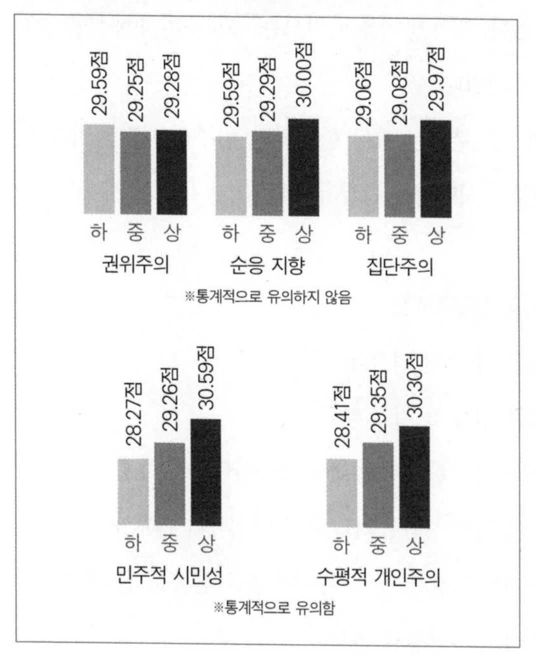

분석하기 위해 '외출 시 마스크 착용'과 '손 씻기'부터 '종교 행사 불참'에 이르기까지 10개 문항을 물어 점수를 매겼다. 분석 결과 권위주의, 순응 지향, 집단주의 성향과 방역 참여 점수 사이에는 통계적으로 유의미한 관계가 나타나지 않았다. 권위주의, 순응주의, 집단주의 성향이 강할수록 방역에 적극적으로 참여하는 경향은 발견되지 않았다는 말이다. 그럼 누가 더 방역에 적극적이었을까? 오히려 '민주적 시민성'과 '수평적 개인주의' 성향이 강할수록 방역에 더 적극적으로 참여했다. 두 성향의 경우 방역 참여 점수와 유의미한 관

계를 보였으며, 각 성향이 강해질수록 방역 참여 점수가 올라가는 경향이 더 확연했다. 케이 방역을 바라보는 유교주의적 해석을 정면으로 반박하는 결과였다.

여기서 흥미로운 부분은 바로 한국인의 '민주적 시민성'이다. 이 설문 조사는 민주적 시민성을 측정하기 위해 7개 문항을 사용했다.

1. 선거 때 항상 투표한다.
2. 법과 규칙을 항상 잘 지킨다.
3. 정부가 하는 일을 늘 지켜본다.
4. 사회 단체나 정치 단체에서 적극 활동한다.
5. 다른 의견을 가진 사람들의 생각을 이해하기 위해 노력한다.
6. 조금 비싸더라도 정치, 윤리, 환경에 좋은 상품을 선택한다.
7. 나보다 못사는 사람들을 돕는다.

케이 방역에 적극적이던 한국의 민주적 시민은 어떤 성향을 보였는가? 분석 결과 민주적 시민성은 특정한 성향으로 규정하기 힘든 복합적 성향이었다. 문항 1과 4처럼 참여적 성향을 보이지만, 2, 6, 7처럼 개인주의나 자유주의로 온전히 설명하기 힘든 부분도 있으며, 3과 5처럼 권위주의자나 집단주의하고 구별되는 성향도 발견된다.

다른 설문 문항 분석을 봐도 어떤 한 가지 성향으로 결론짓기 힘든 복합적 결과가 나타난다. 이를테면 '내가 확진자가 될까 두렵다'에 64퍼센트가 동의하지만, '주변 사람들에 피해를 끼칠까 봐 두렵다'에 86퍼센트가 동의한다. '마스크 안 쓴 사람은 이기적이다'에 85퍼센트가 동의하지만 '마스크 안 쓴 사람 정부가 처벌해야'에 그렇다고 답한 비율은 47퍼센트다. 감염을 조심해야 하는 핵심 이유는 남에게 피해를 줄 수 있기 때문이고, 방역 지침을 지키지 않는 사람은 타인에게 피해를 주는 지탄의 대상으로 보지만, 그렇다고 국가가 개입해 바로잡아야 한다는 주장에는 의견이 반반으로 갈린다. 개인주의보다는 타인을 생각하는 공동체주의적인 면을 보이면서도 국가 개입에는 어느 정도 자유주의적인 거북함을 나타내기도 한다. 설문 결과는 한국의 독특한 시민성을 보여준다.

> 공동체 지향적인 개인주의자, 공공재 생산에 기여할 의지를 가진 시민, 무임승차자를 처벌하고 싶어하는 자유주의자. 이런 사람은 한 단면만 보아서는 권위 순응형 인간으로도 보이고, 반대편에서 보면 공동체 자체에 무관심한 자유주의자로도 보인다. 민주적 시민성은 둘의 절충이 아니라 제3의 꼭짓점이다. 그것은 '자유로운 개인인 동시에 공동체에 기여하고자 하는 시민'을 뜻한다. (천관율, 〈코로나19가 드러낸 '한국인의 세계' — 의외의 응답 편〉, 《시사IN》 2020년 6월 2일(제663호))

이런 독특한 혼종적 시민성은 '성숙한 개인주의'로 불리기도 한다.

한국과 미국 사회의 시민참여는 다름 아닌 민도 차이를 반영한다고. 대한민국 국민은 어느덧 바이러스의 속성과 방역 대책의 타당성에 관한 설명을 이해하고 스스로 판단해 올바르게 행동할 만큼 지적으로 성장했다. 그에 비해 정부의 이동 제한 조처에 총을 들고 거리로 뛰쳐나온 몇몇 미국인의 행동은 아무리 봐도 이해력 부족에서 나온 것처럼 보인다. …… 마스크 착용과 관련하여, 저변에는 여전히 이기적 동기가 깔려 있지만, 이번에는 내가 남에게 바이러스를 옮기지 말아야겠다는 이타적 발로가 함께 작동한다. 그래서 자진해서 불편을 감수하며 기꺼이 착용한다. 대한민국은 더 이상 집산주의 사회가 아니다. 성숙한 개인주의 사회다. (최재천, 〈이타적 이기주의〉, 《조선일보》 2020년 6월 23일)

이런 한국 고유의 시민성은 촛불 집회에 참여한 한국 시민의 개인주의에서도 나타난다.

개인주의는 '이기주의'가 아니라 모든 인간은 하나의 '개인'으로서 서로 존중받을 수 있는 권리와 자유가 있다는 것이다. 따라서, '나'라는 개인의 권리가 침해받아서도 안 되지만, 다른 '개인'들의 권한도 침해되어서는 안 된다. 자신의 정체성에 대한 적극적인 표현 속에서는 이런 개인주의의 성향이 강하게 내재되어 있다고 판단된다. (박태균, 〈'범야옹 연대'는 왜 촛불집회에 나갔나?〉, 《프레시안》 2017년 1월 15일)

서구 중심의 보편적 시민성으로 포착하기 힘들며, 그렇다고 유교주의 전통으로 환원될 수도 없는, 한국인의 독특한 민주적 시민성은 어디서 왔을까. 이 주제는 정치학보다는 역사학과 문화인류학에서 다뤄야 하는 폭넓은 문제다. 다만 국가-시민사회 관계의 다차원적 역사에서 실마리를 찾을 수 있을지 모른다. 이를테면 《소용돌이의 한국정치Korea: The Politics of the Vortex》를 쓴 그레고리 헨더슨Gregory Henderson은 한국의 국가-시민사회 관계를 강한 국가와 원자화된 개인으로 본다. 단순화할 위험을 무릅쓰고 한마디로 요약하자면, 단일 민족의 동질성, 강력한 중앙 집권적 전통, 엘리트와 대중을 잇는 중간 매개 집단의 부재 등 일련의 역사적이고 문화적인 이유 때문에 한국 정치가 원자화된 개인들이 사회적 응집력을 상실한 채 중앙 권력을 향해 휘몰아치는 소용돌이의 모습을 띤다는 주장이다.

다른 한편 한국의 국가-시민사회 관계는 정경유착과 새마을 운동처럼 포섭 관계의 속성을 보이기도 한다. 이런 포섭 관계는 강한 국가가 원자화된 시민사회를 억압하는 일방적 양상을 띠기보다는 강한 국가와 시민사회 조직의 역량이 함께 어우러지는 파트너십 측면을 지닌다. 대표적으로 스테인 링겐Stein Ringen 등은 《한국의 국가와 사회 정책The Korean State and Social Policy》에서 한국의 특징을 '혼합적 거버넌스mixed governance'라고 부르고, 한국이 빈곤과 독재에서 벗어나 부와 민주주의로 상승할 수 있던 이유를 국가와 기업, 노동, 제3섹터 사이의 조합주의적 공생symbiotic 관계에서 찾는다. 한마디로 권위주의는 맞기는 하지만 국가와 시민사회의 역량이 상승적으로 작동한 측면을 간과해서는 안 된다는 이야기다. 또한 김영미는 《그들의 새마을 운동》에서 새마을 운동의 성공은 박정희 정부의 리더십과 정책만으로 설명될 수 없고 성공한 농촌 지역에 내재한 전통적인 공동체 역량에 기인한다는 점을 밝힌다.

그런가 하면 한국의 국가-시민사회 관계는 길항拮抗적 양상을 띤다. 과거 동학부터 일제 강점기 독립운동과 해방 후 4·19 혁명, 광주 민주화 운동, 1987년 6월 항쟁, 민주화 후 일련의 촛불 집회까지 이어지는 흐름에 나타나는 상향식 민주 항쟁과 시위의 전통을 말한다. 이런 특성을 구해근은 《현대 한국의 국가와 사회State and Society in Contemporary Korea》에서 '강한 국가와 길항적 사회Strong State and Contentious Society'로 규정한다. 서구 부르주아 시민사회의 자유주의하고 차별되는 한국 시민사회 고유의 민족주의와 민주화 투쟁의 역사적 유산이라는 말이다. 어떤 면에서 이런 길항적 속성은 한국 시민사회의 가장 두드러진 특성일지 모른다. 한국은 최소한 동아시아에서는 유일하게 '상향식 민주화', 곧 시민사회의 저항과 투쟁을 통한 민주적 전환을 성공적으로 달성한 나라다. 역동적인 한국 시민사회는 하라리가 아시아의 모범 사례로 든 타이완과 싱가포르하고 차별되는 한국만의 특징이라 할 수 있다. 외부에서 민주주의를 도입한 나라인 일본, 그리고 '매뉴얼 사회'의 관행에 매몰돼 무기력해진 일본의 시민사회에 견줘 확연히 다른 모습이다.

이 세 가지 차원에 더해 자발적 애국 운동의 역사에 주목하기도 한다. 이를테면 코로나19 사태에서 한국 시민사회가 보여준 시민 의식과 역량은 조선 시대에 관군이 밀릴 때 의병이 들고일어나고, 일제 강점기에 국권 회복을 위해 국채보상운동을 추진하며, 동아시아 외환 위기 때 '금 모으기 운동'을 벌인 한국 시민사회의 애국주의적 전통에 기인한다는 이야기가 종종 들린다. 여하튼, 억압과 포섭이건, 투쟁과 애국적 전통이건, 한국의 혼종적 시민성은 이런 다면적이면서도 역동적인 역사적이고 문화적인 경험을 바탕으로 빚어졌다.

정리하자면, 케이 방역은 유교적 전통 덕분이라는 소르망의 특수주의 시각, 곧 '개인보다 집단을 중시하고, 가부장적 국가가 개인의 자유를 침해할 수 있으며, 개인들은 정부의 말을 고분고분 따르는' 국민성 때문이라는 주장은 어렵지 않게 기각된다. 하라리의 보편주의 시각, 곧 방역에서는 전체주의 감시 방식보다 시민 역량에 기초한 민주적 방식이 더 효과적이라는 주장 또한 케이 방역이 거둔 성공을 온전히 설명하기에는 부족하다. 케이 방역을 추동하는 한국의 시민은 유교주의로 환원될 수도 없지만, 서구의 개인주의와 자유주의하고도 분명 결이 다른 고유한 시민성과 시민적 역량을 보이기 때문이다.

마지막으로 그렇다면 이런 한국의 민주적 시민성은 케이 방역 사례에서 어떻게 발현됐을까? 여기서 자세한 내용을 다 다룰 수는 없고, 몇 가지 특징적인 에피소드만 살펴보자.

첫째, 개인적 차원의 순응과 협조다. 하라리가 강조한 대로, 한국인은 비누 경찰이 없어도 자발적으로 비누로 손을 씻을 줄 아는 시민성을 보였다. 또한 마스크 쓰기, 기침 예절, 외부 활동 자제, 적극적 검사, 사회적 격리 등 개인 위생과, 감염 예방과 확산 방지를 위한 여러 노력이 중요하다. 자기 자신을 보호하고 상대의 안전을 지키는 시민들의 작은 실천을 바탕으로 국가 방역 체계가 효과적으로 작동할 수 있기 때문이다. 작지만 중요한 개인 차원의 노력에서 한국 시민들은 모범을 보여줬다. 또한 정보기술을 활용한 동선 추적 등 개인의 자유를 어느 정도 제한할 수 있는 정책과 지침에 관련해서도 공공 보건을 위해서는 프라이버시를 어느 정도 희생할 수 있다는 성숙한 시민 의식이 발견됐다.

둘째, '비누로 손 씻기' 같은 개인적 차원의 시민 의식을 넘어 케이 방역은 시민들이 서로 따뜻한 정을 나누고 연대하면서 공동의 문제를 해결하는 데 한몫을 하는 집단 차원의 시민성에서도 모범이 됐다. 의료인과 자원봉사자의 영웅적 희생, 취약 계층을 대상으로 한 시민사회의 지원과 옹호 활동, '착한 임대료 운동' 등 지역 경제를 살리기 위한 자발적 캠페인, 마스크 알림 애플리케이션 개발, 드라이브스루 선별 진료소 아이디어 제공 등 알려진 예는 매우 다양하다. 이런 집단적 노력은 지역 수준으로 내려갈수록 재난 현장 곳곳의 필요와 여건에 따라 혁신적인 모습으로 나타나기도 한다. 많은 경우 시민사회와 지방 정부가 함께 일구어낸 민관 협치의 사례다. 케이 방역의 특징으로 '지방의 재발견'이 이야기되는데, 이를테면 전주는 전국 최초로 '착한 임대료 운동', '재난 기본소득', '해고 없는 도시 상생 선언'을 잇따라 내놓아 주목받는다. 서울 또한 '온ON라인으로 온溫기를 나누는 시민 주도형 코로나19 극복 캠페인'인 '온서울 캠페인'을 추진하고 있다. '따뜻한 방역', '따뜻한 연결', '따뜻한 경제'의 이름으로 갖가지 풀뿌리 시민 주도형 대응 사례를 모아 온라인으로 공유한다. 이를테면 서울의 여러 자치구 마을 공동체가 손수 제작해 기부한 마스크가 14만여 매에 이른다. 몸은 '사회적 거리 두기' 때문에 떨어져 있지만, 마음과 마음을 훈훈하게 연결하기 위한 기발한 응원 캠페인 아이디어가 속출한다. 경제적으로 어려워진 이웃을 돕는 '착한 구매'와 '착한 기부'도 넘쳐난다.

셋째, 코로나19 와중에도 총선을 성공적으로 치를 수 있었다. 개인적 시민 의식과 집단적 연대 의식을 넘어 더욱 적극적으로 정치적 의사를 표명한 점이 특별하다. 영국 《비비시BBC》를 비롯한 외신들은 코로나19 사태 속에서 치른 4·15 총선에 칭찬을 아끼지 않았다("한국이 팬데믹 중에 무엇이 가능한지 또 한 번 증명하려는 듯하다"). 선거를 연기하지 않고 계획대로 진행한 사실 자체가 예외적이었다. 미국은 15개가 넘는 주에서 대통령 선거 경선이 연기됐고, 프랑스는 지방선거 2차 투표를 미뤘으며, 폴란드도 5월 10일 예정된 대통령 선거를 우편 투표로 진행했다. 그 밖에도 2020년 3월 1일부터 4월 15일 사이에만 전세계적으로 50개 지역에서 여러 선거가 연기됐다.

더 흥미로운 점은 투표율이다. 전세계에서 이 기간 동안 계획대로 선거를 진행한 13개 지역의 투표율은 뚜렷하게 줄어든 추세를 보였고, 우편 투표를 허용한 독일 바이에른 주 지방 선거만 3.5퍼센트 늘어났다. 반면 한국 총선은 28년 만의 최고치인 66.2퍼센트의 투표율을 기록했다. 역대 최고 수준의 투표율을 보인 원인으로 사전투

표제, 진영 대결에 따른 지지층 집결, 만 18세 유권자의 참여 등이 이야기됐다. 그렇지만 더 근본적인 이유는 높은 시민 의식이다. 총선을 앞두고 중앙선거관리위원회가 한 여론 조사에 따르면 '선거를 통해 국가 전체의 미래가 달라질 수 있다'는 의견은 73.6퍼센트, '선거에서 내 한 표는 결과에 중요한 영향을 미친다'는 의견은 75.7퍼센트였다. 한국 총선이 기록한 높은 투표율에 외교 전문지 《포린 폴리시Foreign Policy》는 이런 의미를 부여하기도 했다. "코로나 사태가 이런 혼돈의 시대에 리더십이 얼마나 중요한지를 유권자들에게 보여준 것 같다." 한국 시민이 보여준 시민 의식과 정치적 효능감이 높은 투표율로 이어져 분별 있는 선택을 할 수 있었다는 이야기다.

코로나 바이러스 이후의 시대

결론을 대신해 우리가 유의할 점 두 가지를 지적하려 한다. 첫째, 시민과 시민적 역량이 케이 방역의 관건이라지만 다른 요인들 또한 중요하다는 점이다. 이를테면 한국의 코로나19 대응 모델을 온전히 이해하려면 질병관리본부로 대표되는 정부의 체계적인 대응 시스템, 적극적으로 '검사test'하고 '추적trace'하고 '치료treat'하는 이른바 '3T' 정책, 중앙 정부와 지방 정부의 다층적인 노력과 협력, 첨단 정보기술의 활용, 의료인의 헌신, 사스와 메르스 사태가 준 교훈 등 여러 요인에 주목해야 한다. 특히 시민 참여를 끌어낼 수 있는 공적 신뢰와 민관 협치의 중요성은 아무리 강조해도 지나치지 않다. 다만 여기서는 시민과 시민사회에 초점을 두고 이야기한 점을 밝힌다.

둘째, 코로나19 사태는 끝나지 않았고, 전세계적으로 계속 확산 추세이며, 한국도 2차 유행이 닥칠 조짐을 보이는 등 케이 방역을 평가하기는 아직 이르고 조심스럽다는 점이다. 여기에서는 케이 방역이 성공한 요인보다는 케이 방역이 지닌 특징을 먼저 살펴봤다. 지나친 자화자찬과 자국 우월주의도 경계해야 한다. 케이 방역이 비교적 높은 시민 의식, 자발적 참여와 협력 등 한국 시민사회의 긍정적 모습을 보여주지만, 여느 시민사회처럼 한국 시민사회에도 차별과 배제, 분열과 다툼, 불평등과 불공정, 혐오와 가짜 뉴스 등 어두운 면이 있다. 포스트 코로나 시대에도 지속적인 성찰과 고민을 통해 풀어야 할 숙제다.

더 읽을거리

로버트 퍼트넘 지음, 안청시 옮김, 《사회적 자본과 민주주의》, 박영사, 2000

민주주의의 성패는 시민 공동체의 사회적 자본, 상호 호혜와 신뢰의 규범과 네트워크에 달려 있다고 주장한다. 민주주의의 제도와 문화에 관련된 이론적이고 경험적인 논의가 풍부하다. 퍼트넘이 미국 지역을 대상으로 한 사례 연구 《함께 더 좋은(Better Together: Restoring the American Community)》(2003)도 추천할 만하다.

엘리너 오스트롬 지음, 윤홍근·안도경 옮김, 《공유의 비극을 넘어》, 랜덤하우스코리아, 2010

물, 산림, 어장 같은 공유 자원 관리에서 국가의 규제나 시장의 거래 방식보다 주민들의 자치 제도가 더 효과적이라고 주장한다. 다양한 공유 자원 관리 사례를 분석하기 위한 정보를 제공할 뿐 아니라 일반적으로 자치의 가능성과 중요성에 관한 영감을 준다.

4장

싸우는 방역은 함께 돌보는 면역으로 바뀔 수 있을까?

백영경

코로나 바이러스 감염증 사태가 길어질 듯하다. 확진자 수가 줄어들어 안정화되는가 하면 한 번씩 크게 치솟는 양상이 반복되고 있다. 처음 신천지 관련 집단 감염으로 큰 파문이 일었고, 요양 병원과 정신 병원에서, 그다음에는 콜센터에서 발생한 집단 감염은 한국 사회의 어두운 면을 가차없이 드러냈다. 한동안은 해외 입국자를 매개로 한 감염이 증가하다가 4월 말이 되면서 안정세 속에 사회적 거리 두기를 조금 완화하고 초중고 등교 개학을 계획할 수 있게 됐다. 그렇지만 때 이른 방심을 질책하듯 노래방과 클럽, 물류 창고와 교회를 중심으로 다시 많은 확진자가 나오고 있다. 대부분 외부 유입이던 초기하고 다르게 지역 감염 비율이 높아지면서 감염 경로를 모르는 환자 비율이 늘어나는 중이다. 겨우 문을 연 학교도 확진자 접촉이 발생할 때마다 일시 등교 중지되는 현실에도 익숙해졌다. 이제 코로나19의 완전 종식은 일어날 수 없으며 백신이 보급되더라도 우리의 일상은 방역을 염두에 두고 재편될 수밖에 없다는 말을 절감하게 된 상황이다.

성공한 방역 뒤에 가려진 차별과 혐오

이렇게 롤러코스터를 탈 때마다 집단 감염이 일어난 계층을 향한 경계와 혐오가 번진다. 중국인을 시작으로 한국에 사는 조선족 동포들로 번지더니, 신천지 신자들을 거쳐, 대구라는 지역 전체를 대상으로, 성 소수자들을 향해 비난과 혐오의 말이 난무했다. 해외에서 귀국하는 동포는 물론 유학생도 입국을 금지해야 한다는 여론이 일기도 했다. 감염된 환자들은 완치된 뒤에도 신상 공개의 후유증은 물론 실직의 어려움을 겪기도 했고, 가족들 또한 기피 대상이 됐다. 코로나19를 치료한 의료진은 '의료진 덕분에' 캠페인 속에서도 일상에서는 기피 대상이 됐다.

비난의 양상이 언제나 똑같지는 않다. 질병의 기원이나 유입 경로, 전개 양상까지 모두 불확실하던 초기에는 중국인이나 조선족 동포들처럼 특정 집단 전체를 향해 막연한 비난과 혐오가 쏟아진 반면, 자세한 감염 경로가 알려지면서 감염자들의 행동을 비난하는 양상을 띤다. 사태 초기처럼 무분별하게 정보가 공개되지는 않더라도 좁은 지역 사회에서는 확진자나 확진자 가족의 신상이 보호되기 어려우며, 때로는 추측에 근거해 애꿎은 사람들이 의심을 받는 상황도 자주 발생하고 있다. 또한 개인이 특정되지 않더라도 대구나 이태원처럼 특정 지역 전체가 낙인찍히면 그 지역에 살거나 직장이 있는 사람이 모두 경계 대상이 되기도 한다.

이런 일은 시민들의 인권 의식이 부족해서 생기기도 하지만, 케이 방역이라고 알려진 한국식 방역의 성공에 무관하지 않다는 점에서 성찰이 필요하다. 한국은 전면 봉쇄 없이 정보통신 기술ICT과 진단 기술을 활용한 선제적 대응과 시민들의 협조를 바탕으로 코로나19의 확산을 막아내는 데 성공한 사례로 세계의 주목을 받는 중이다. 이른바 선진국들에서 벌어지는 참상에 견줄 때 한국의 상황은 시민으로서 자부심을 가져 마땅하다.

다른 나라같이 대규모로 확진자가 나오는 상황이라면 한 사람 한 사람의 감염 경로를 파악할 수 없을 뿐 아니라 누가 어디서 옮았는지를 따지는 일은 무의미하다. 한국은 초기부터 거의 모든 확진자를 대상으로 동선을 추적해 접촉자를 격리하는 방식으로 감염 확산을 관리했다. 그런 과정에서 개인 정보가 노출되고 감시 기술이 지나치게 적용되는 문제를 염려하는 목소리도 나왔지만 많은 시민들은 방역을 위해 그런 조치들이 필요하다는 현실을 인정했다. 대신 성공한 방역인 만큼 어서 빨리 정상 생활로 돌아가고 싶은 욕구 또한 당연히 높을 수밖에 없다.

여기서 어려움은 코로나19 상황이 한국만 잘해서 종식될 수 없으며 전파력이 매우 높은 신종 코로나 바이러스의 특성상 잠잠해지다가도 언제든 다시 출현할 수 있다는 데서 나온다. 머리로는 어쩔 수 없다고 생각하지만, 개별 사례를 두고는 많은 사람이 '나'는 사회적 거리 두기를 하면서 전체의 안녕을 위해 조심하는데 '일부' 부주의한 사람들 때문에 방역에 구멍이 뚫렸다는 생각에 분노하는 모습이 현재 상황이다. 특히 국제적으로 케이 방역의 성가가 높아진 때 출현하는 확진자는 국가적 성취를 훼손하는 오점으로 비난받는다.

현재 시민들은 한편으로는 방역이 성공적이라는 이야기를 일상적으로 들으면서 장기화된 사회적 거리 두기 상황을 곧 벗어날 수 있다고 기대하지만, 동시에 지속적으로 지역 감염이 이어진다는 경고를 들으면서 불안에 시달리는 상황에 놓여 있다. 다시 말하면 모순된 메시지를 경험하면서 피로감이 절정에 다다르게 되고, 그 결과 지역 감염을 일으키고 방역에 '구멍이 된다'고 판단되는 부주의한 개인들을 향한 분노가 차오르게 된다. 이런 경우 분노는 차별이 아니며 혐오하고도 다르다고 생각하는 경향이 크다. 그렇지만 감염이 반드시 환자 잘못은 아니고, 감염 위험은 불평등하게 경험될 수밖에 없으며, 어떤 사람들은 감염을 피하기 더 어려운 상황에 놓여 있다는 사실을 외면한다는 점에서 문제적이다.

방역은 바이러스에 맞선 전쟁이 아니다

이런 상황을 가리킬 때 흔히 이제 코로나19는 장기전으로 접어든 만큼 거기에 따라 대응해야 한다는 표현을 쓴다. 재난이나 전염병에 맞선 대응을 전쟁으로 표현하는 은유 또한 익숙하다. 갑자기 들이닥쳐 비상 상황을 만들어내고 사회 전체가 상황 대응에 동원된다는 점에서 전쟁의 비유는 피부에 와 닿는 바가 없지 않다. 우리가 힘을 합쳐 막아내야 할 상대가 재난이 되는 셈이다. 코로나19 사태 속에서도 전쟁의 은유는 큰 힘을 발휘하고 있다. 도널드 트럼프 미국 대통령은 코로나19라는 전쟁에 맞서 싸우는 전쟁 사령관으로 자임하면서 전쟁에서 반드시 승리하겠다고 다짐했다. 코로나19라는 숨은 적을 색출해 섬멸하는 목표가 설정됐다. 구체적인 표현은 조금 다르지만 한국 정부도 큰 틀에서 다르지 않다. 정부 관료와 정치인들이 앞다퉈 코로나19 전쟁에서 반드시 승리하겠다는 다짐을 내놨다. 언론이 흔히 쓰는 '어느 지역이 뚫렸다'는 표현 또한 전쟁의 이미지이며, 질병에 맞선 전쟁인 동시에 경제에 맞선 전쟁이라는 말도 익숙하다. 곳곳에 붙은 반드시 승리하겠다는 다짐의 플래카드 또한 전쟁 분위기를 암시한다. 정부의 지도하에 국민들은 잘 협조하고 일사불란하게 움직여야 하며, 대오에서 이탈하는 사람 없이 지침에 순응해 바이러스라는 적에 맞선 전쟁에서 승리해야 한다는 다짐이다.

전쟁의 은유는 너무 낯익지만, 역병을 막는다는 방역이 왜 곧바로 전쟁이 되고 안팎의 적을 섬멸하는 이미지로 이어지는지 한번 생각해봐야 한다. 코로나19의 심각성을 드러내는 용어일 뿐 큰 문제가 없다고 생각하는 사람도 있다. 그렇지만 이런 생각은 쓰는 말에 따라 생각의 방향이 결정된다는 사실, 곧 말이 가진 힘을 무시한다. 이런 전쟁의 상상력은 결국 전체를 위해 소수가 희생될 수도 있고, 승리에 도움이 되지 않는 집단에는 비난이 쏟아질 수밖에 없다는 점에서 문제가 된다. 전쟁을 하려면 개인의 권리를 당연히 양도해야 하고, 무고한 피해를 입는 몇몇 집단이 있더라도 승리를 하려면 감수할 수밖에 없다는 말이기 때문이다.

코로나19 사태 이후 한국 사회에서 벌어진 일들도 이 틀에서 크게 벗어나지 않는다. 때로 자발적 연대와 희생의 주인공을 다룬 이야기들이 들려오기도 하지만, 일단 전쟁의 은유가 자리잡고 나면 개별적인 미담 사례나 전장에서 피어나는 꽃으로 취급될 뿐 큰 틀에서 전쟁 중이라는 현실 인식을 변화시키지는 못한다. 언론에서는 한국

전쟁 뒤 실제 전쟁에 가장 가까운 상황이라면서 전후 세대의 각성을 촉구했다. 결국 전쟁의 이미지는 우리의 현실 인식을 지배했다.

전쟁의 비유는 우리가 싸우는 대상이 바이러스라고 생각하기 때문에 자연스럽게 받아들여진다. 그렇지만 현실을 들여다보면 바이러스 자체를 상대로 한 싸움보다 낯익은 삶의 조건들이 우리를 더 어렵게 한다. 한국 사회에서 집단 감염이 출현한 장소를 보면 감금 시설에 가까운 요양 병원과 정신 병원, 비정규직 노동자의 일터와 숙소였다. 종교 시설과 클럽을 비난하지만 구체적인 면면을 보면 대단한 범죄자나 일탈자라고 하기는 어려운 사례도 많다.

또한 일탈이 분명한 경우도 그저 비난하는 정도만으로 해결할 수 있는 문제는 거의 없다. 왜 클럽에 갔느냐고 하지만, 합법적으로 영업을 하는 공간에 간 행동이 범죄는 아닐 뿐 아니라 코로나19에 따른 사회적 거리 두기 상황이 어떤 소수자들에게는 더 힘들 수 있다는 사실을 무시하는 힐난이다. 클럽은 단순한 유흥의 장소가 아니라 정체성과 존재감을 확인하는 공간이다. 일주일 동안 두 곳이 넘는 물류 센터에서 일한 노동자가 확진이 되면서 동선에 포함된 장소들이 모두 폐쇄되고 많은 사람이 검사를 받았고, 감염이 확인되면서 비난이 이어졌다.

그런데 안 좋은 상황에 놓인 노동자는 물론 노동자를 초단기 고용하고 필요에 따라 여러 사업장에 이동 배치하는 배송 업체의 사업 형태를 코로나19 이전의 한국 사회가 얼마나 문제 삼았는지 먼저 반성해야 한다. 전쟁이라는 상황 인식은 방역이라는 목표말고는 다른 고려를 필요 없는 요소로 여기게 하기 때문에 맥락을 무시한 비난이 더욱 쉽게 쏟아지게 된다.

바이러스보다 더 어려운 싸움

확진자가 발생하는 양상이 그 나라의 취약성을 그대로 보여준다는 점에서 코로나19는 사회적 맥락을 더 꼼꼼히 들춰내야 할 계기이면서 해결 방안을 둘러싼 열린 토론을 이어가야 할 때이지, 일사불란하게 '묻지 마' 전쟁을 감행해야 할 때가 아니다. 중국은 권위주의 체제가 강화되고 언론이 탄압받는 상황이 초기 대응을 어렵게 했다는 진단이 있으며, 유럽은 지난 수십 년에 걸친 신자유주의의 발호 때문에 의료 복지 제도가 후퇴하는 상황에서 큰 희생을 치렀다. 미국에서는 아프리카계 미국인들이 평균보다 몇 배나 더 큰 피해를 입었는데, 인종에 따른 생활 세계의 불평등을 반영하는 결과다. 지구화 시대에 미국과 유럽은 모두 중국을 상대로 긴밀한 관계를 맺고 있었지만, 오리엔탈리즘적 시각 때문에 중국을 훨씬 먼 나라로 생각해 우한에서 벌어진 사태를 남의 일로 바라봤다는 평가도 있다. 마스크 착용을 기피하는 습관 또한 인종주의에 기반한 것이라고 하니, 코로나19 방역이 단순히 바이러스에 맞선 전쟁이라고 보기 어렵다는 사실은 더욱 분명해진다. 바이러스를 막기 위해서라도 각 사회의 인종주의나 불평등한 현실, 반지성주의 등 넘어야 할 산이 많다. 이런 장벽은 모두 역사적 산물이기 때문이다.

한국은 성차별주의의 영향도 두드러진다. 한국보다 먼저 코로나19 사태를 겪은 중국에서 나온 연구에 따르면 남성이 여성보다 코로나19 바이러스에 더 취약하다고 한다. 한국도 치명률은 남성에게 더 높고 사망자 수도 남성이 더 많다. 그렇지만 확진자 수에서는 여성, 그중에서도 20대 여성이 유독 많다는 점이 한국의 두드러진 특징이다. 이제까지 집단 발병이 일어난 종교 시설, 체육 시설, 요양 시설, 근로여성 임대아파트는 모두 여성들의 활동이 두드러지는 공간이다. 요양 시설 돌봄 노동자나 콜센터 노동자들의 노동 조건이 나쁘다는 사실은 이미 잘 알려져 있지만, 일의 특성상 대면 접촉이나 집단 근무를 피하기 어려운 노동자 중에는 여성이 압도적으로 많다. 주거 복지의 사각지대에 살고 있는 사례가 많으니 집단 발병 사례도 여성에게 집중되는 양상을 보인다. 신천지에 몰입한 20대 여성이 많다는 사실 또한 청년 여성들을 둘러싼 이런 현실에 무관하지 않을 듯하다.

코로나19 사태가 장기화되면서 돌봄 부담이 각 가정에 떠넘겨지고, 여성들이 압박을 견디지 못해 일을 그만두거나 경기 침체 때문에 여성부터 먼저 해고되는 현상도 문제다. 개별 가정에 돌봄 부담을 지우는 체제 때문에 여성이 직장을 그만두면 사회에는 이들이 기존에 담당했던 만큼의 공백이 생겨나게 된다. 실제로 교사와 간호사를 비롯한 많은 돌봄 노동자가 감염이 가족에 미칠 영향이나 가족 돌봄을 이유로 퇴사를 하거나 퇴사를 고려하고 있다.

많은 한국 여성을 둘러싼 낮은 삶의 조건이 결국 '방역의 구멍'이 돼 돌아오는 현실을 감안한다면, 이른바 '코로나19 전쟁'은 한국 사회의 성차별주의도 넘어서야만 한다. 그런데 이 전쟁에 성차별주의에 맞선 전쟁을 포함할 수 있을지도 의심스럽지만, 그런 은유가 도움이 될지는 더더욱 의심스럽다. 전쟁의 긴급함은 언제나 현재 시점에서 해결하기 어렵다고 생각되는 문제나 덜 중요하다고 생각되는 문제를 후순위로 돌리는 경향이 있는데, 코로나19 전쟁이 오랫동안 사소한 문제로 취급되거나 첨예한 갈등 사안인 성차별 문제를 앞순위에 두고 해결하려 하지는 않을 테기 때문이다.

인권을 고려하지 않은 성공적 방역은 없다

방역을 전쟁으로 보는 사고가 논쟁을 일으키고 있는 다른 영역은 개인 정보 보호 문제다. 한국이 유교 문화의 잔재나 권위주의 전통 때문에 개인의 권리를 중요하게 다루지 않았다는 지적을 해외 언론이나 학자들이 제기했고, 국내에도 거기에 동조하는 사람들이 꽤 있었다. 이 문제는 인권 대 방역이라는 구도로 이해되기도 하지만, 코로나19가 빠르게 확산되면 노인을 포함한 건강 취약 계층이 위험해지고 자칫 의료 시스템이 붕괴되면 대참사로 이어질지도 모르는 국면에서 인권과 방역은 대치되는 문제가 아니다. 이런 상황에서 시민들이 개인 정보 보호 자체가 절대적인 목표가 될 수는 없다는 사실을 이해하고 공공의 이익을 위해 어느 정도 권리가 제약되는 조치를 자발적으로 감수한 사실은 후진성의 지표이기는커녕 선진성의 발로라고 해야 한다.

물론 그 뒤 벌어진 현실에 아무런 문제가 없다는 말은 아니다. 감염병 관리를 위해 감염자의 동선이 분 단위로 공개되면서 거주민은 물론 지역을 지나가는 사람에게도 경보음에 이어 재난 문자가 전달되는 상황은 좋은 의미에서든 나쁜 의미에서든 기술 강국 대한민국이니까 가능한 일이었다.

그렇지만 감염자의 성별과 연령까지 특정하면서 감염자들은 자신은 물론 가족들의 신상까지 알려지면서 비난을 감당해야 했다. 그러다 보니 코로나19에 걸리는 일보다 동선 공개가 더 무섭다는 사람이 한둘이 아니었다. 행적을 자세히 공개하면 누구든 뜻하지 않은 곤경을 당할 수 있지만 소수자들에게는 더욱 두려운 일이었고, 이태원 클럽에서 집단 감염이 발생한 직후 언론이 '게이 클럽'을 감염 진원지로 지목하면서 염려는 현실이 됐다. 그러자 확진자 접촉 가능성이 있는 사람들이 검사에 응하지 않고 숨어버릴까 봐 걱정된 방역 당국이 직접 나서서 차별은 도움이 되지 않는다며 언론에 혐오 발언을 자제해달라고 요청했다. 방역에 필요하니 차별을 자제해야 한다는 말을 듣고 있노라면, 방역 아니면 차별해도 되느냐는 삐딱한 마음이 들기도 한다.

어쨌든 정부 당국이 적극적으로 나서서 불법 노동자가 아니라 미등록 노동자로 호명하면서 추방 걱정 없이 검사를 받으라며 홍보하고 성 소수자들을 위해 익명 검사를 도입한 조치는 나름대로 큰 진전이었다. 결국 인권을 고려하지 않으면 방역도 불가능하고 사회의 약한 고리는 '방역의 구멍'이 될 수 있다는 점을 인정한 셈이라는 사실이 중요하다.

직장과 집만 오가는 건실한 시민이라 하더라도 방역 당국의 권고를 따르지 못하거나 행적을 투명하게 밝히기 어려운 사연은 각양각색이다. 콜센터 집단 발병 사례를 두고 왜 마스크도 쓰지 않고 좁은 공간에서 일했느냐, 재택근무는 왜 하지 않았느냐, 모여서 밥은 왜 먹었느냐 같은 비난하는 목소리가 높았다. 그렇지만 콜센터는 업무 특성상 마스크를 쓰고 일하기도 어렵고 재택근무도 가능하지 않은 사례가 많다.

신천지 출신 요양보호사들이 계속 근무한 점을 비난하는 여론도 있지만, 밀교적 특성말고도 생계 때문에 일할 수밖에 없다는 항변도 들린다. 짧은 시간 안에 왜 이렇게 많은 지역을 돌아다녔냐고 비난하지만, 그 뒤에는 주말에 아르바이트를 하고 일과 뒤에 투잡을 뛰는 고단한 현실이 있다. 멀리 떨어져 비난하기는 쉽지만 가까이 들여다볼수록 방역이 말처럼 쉽지 않다는 현실을 절감할 수밖에 없다. 오히려 아프면 쉬고 방역 지침을 절대 준수하라는 당국의 권고가 고깝게 느껴질 때마저 있다. 당국은 쉽게 지키기 어려운 지침을 내면서 원칙 있는 방역이라며 칭송을 받지만, 결국 감염은 지침을 어긴 개인들의 책임이 되기 때문이다. 방역의 필요성 덕분에 노동 현장의 관행이 바뀌고 인권에 좀더 신경쓰는 상황도 생겨났지만, 그런 재난 유토피아가 많은 사람들의 일상이 되기에는 아직 갈 길이 멀다.

방역의 어려움은 이렇듯 치료제나 백신이 없기 때문이기도 하지만, 개인의 삶이 모두 갖가지 제약 속에 놓여 있는 탓이기도 하다. 몸이 아픈데도 일을 해야 하는 처지일 수도 있고, 일상을 유지하기 위해 타인의 노동에 의지할 수밖에 없는 현실 탓이기도 하고, 학교는 입시를 진행해야 하며 기업은 신입 사원을 뽑아야 하는 사정 때문이기도 하다. 온라인 수업에 적응할 수 없는 장애 학생들은 감염이 염려돼도 학교에 가야 하고, 투석을 거를 수 없는 만성 신장 질환자도 위험을 무릅쓰고 병원에 가야 살 수 있다. 집세도 내야 하고, 빚도 갚아야 하고, 세금 꼬박꼬박 내는 합법 업소라도 유흥업소에는 재난 지원금도 주지 않는다고 하니 영업을 제한하지 않으면 문을 열 수밖에 없다. 생각해보면 방역 당국에 솔직하게 말하기 어려운 사정이 얼마나 많을까. 결국은 위험을 저울질하면서 방역 지침을 어기는 일이 다반사로 일어나게 돼 있다. 심지어 그중 어떤 행동은 이해할 수 없고 용서도 되지 않는 개인의 어리석음이나 이기심 탓이라고 해도, 모두 인간 사회의 일부일 뿐이며 비난한다고 해서 사라지지도 않는다. 한마디로 우리 사회에 이미 존재하던 문제들이 불거져 나와 현실을 제약한다.

반대로 케이 방역이 성공한 이유가 한국 사회의 취약성에 무관하지 않다는 지적도 있다. 간호 인력뿐 아니라 진단이나 역학 조사 분야에서도 이른바 선진국에 견줘 터무니없을 정도의 장시간 노동에 익숙하면서도 상대적으로 임금 수준은 낮은 노동력이 존재한 때문이라는 주장이다. 대면 접촉 없는 생활은 노동자의 생명이 위태로울 정도의 고강도 저임금 노동으로 유지되는 배달 시스템 덕분이고, 온라인 생활을 지탱하는 콜센터도 한국의 나쁜 노동 조건 덕분에 값싼 인력으로 운영할 수 있다는 말이다. 한국이 방역에서 거둔 성공이 높은 기술력과 시민 의식뿐 아니라 인력을 '갈아 넣어' 움직이는 데 익숙한 취약성 덕분이라면, 일단 코로나19 위기는 어떻게 넘기더라도 이런 방역 체제가 과연 지속 가능한지 의심이 들지 않을 수 없다. 이 사회를 그대로 둔다면 지금 눈에 보이는 성공조차 미래 방역의 실패를 예견하는 구멍이 될 수 있기 때문이다.

함께 돌보고 가꾸는 면역이라는 정원

확산되는 전염병 속에서 우리는 개개인이 단지 독립된 단자가 아니라 연결된 존재라는 사실을, 언제나 인간 이상의 존재들로 구성된 세계를 살아간다는 사실을 깨달아야 한다. 인간이 환경 속에서 살아가는 것이 아니라 우리가 각자에게 환경이며, 그 우리는 단지 인간만을 의미하지 않는다는 사실을 절감하게 된다. 사회가 전염병에 맞서서 면역 능력을 가지려면 연결된 존재로서 인간에 관한 자각과 더 나은 방식으로 연결되기 위한 노력은 필수적이다. 《면역에 관하여》를 쓴 율라 비스Eula Biss에 따르면 면역은 우리가 공유하는 '공간'이며 '함께 가꾸는 정원'이다. 다른 말로 '커먼즈commons'라고 할 만하다.

공유지, 공동 자원 또는 공동 영역으로 번역하는 커먼즈는 공동체로서 우리가 함께 물려받고 함께 가꿔야 할 무엇을 뜻한다. 그렇다면 면역을 하나의 커먼즈로 본다는 말은 무슨 의미일까? 먼저 공적 영역에도 속하지 않고 사적 영역에도 속하지 않는 커먼즈로서 면역이란 국가와 시장에만 맡겨둘 수 있는 문제가 아니라는 점을 지적할 수 있다. 어쨌든 공적인 책임 주체와 시민 개인들의 의무가 분명한 방역의 이미지하고 다르게 면역의 시각으로 보면 이 목표는 개인을 넘어선 공동체를 생각하는 시민들과 지역이 함께 주체가 되지 않는 한 저절로 주어질 수 없다.

코로나19 사태가 커지면서 의료를 시장 논리에만 맡겨놓을 수 없으며 사태 이후를 대비하기 위해서도 공공 의료가 필요하다는 논의가 많이 나온다. 방역에서 국가나 공공 기관이 나서서 해야 할 일이 막중하다는 사실 자체야 부인할 수 없다. 그러나 방역과 의료를 국가가 제공해야 할 기본 서비스이자 당연한 권리로 주장하기만 하는 태도는 시간에 쫓기고 물리적 제약이 큰 상황에서 내 안전만 앞세우는 무책임한 요구나 국가를 향한 끝없는 비난으로 이어지기도 한다. 또한 국가 차원에서는 결코 감당할 수 없는 문제도 많다.

감염이 확산될 염려가 있는 장애인 시설이나 요양 시설을 중심으로 코호트 격리를 진행하면서 돌볼 사람 없이 남겨진 사람들이 문제가 되고 있다. 이런 경우 국가가 지원해야 할 몫이 분명히 있지만, 언제 터질지 모를 전염병 사태를 기준으로 인력과 자원을 상시 유지할 수 없는 노릇이고 모든 일을 국가에 맡기지 못하는 현실도 인정해야 한다. 또한 준비가 된 상황이라고 하더라도 담당 공무원이나 의료진이 감염된다든지 그 밖에 예상하지 못한 상황이 벌어지면 언제든 허점이 생기게 마련이다. 노숙인들에게 제공하던 식사가 감염 염려 때문에 끊긴다든지, 어르신들이 모여 함께 점심을 하던 마을회관이 폐쇄되는 경우 공백이 생기게 된다. 이런 돌봄 공백을 국가가 일일이 메워준다는 기대를 하기도 어렵고, 그렇다고 시장에 맡기는 선택은 더욱더 상상하기 어렵다. 가족에게 맡기는 방식 또한 가능하지 않다. 갑자기 문을 닫은 학교와 어린이집 때문에 발을 동동 구르는 맞벌이 가정을 굳이 예로 들지 않더라도 전염병 사태에서 가족은 가장 먼저 전염되는 취약한 존재다.

결국 한 사회의 면역 체계는 시민들이 주체가 되고 지역이 단위가 돼 스스로 구멍을 메우고 필요한 일을 찾아서 하지 않으면 유지될 수 없다. 사실 개인들이 각자도생을 추구하면서 의료를 시장에서 살 수 있는 또 하나의 서비스 상품으로 생각하는 사회에서 국가의 힘으로 전염병을 막아내기는 불가능하다. 기후 변화에 더해 앞으로 더욱 잦아질 수 있는 전염병을 막아내려면 우리 모두 면역으로서 커먼즈를 함께 만들고 가꿔야만, 다시 말해 인간 이상의 존재들이 어울려 살아가는 이 세계에 관해 책임감을 가지고 돌봄 자세를 갖춰야만 한다.

코로나19 사태를 불러온 중요한 원인으로 기후 위기와 생태계 파괴가 꼽히는 현실을 감안한다면, 함께 살아가는 세상 속의 우리가 단지 인간만이 아니라는 사실을 자각할 필요성은 더욱 커진다.

코로나19 사태 속에서 인권의 중요성이 부각되면 될수록 동시에 야생 동물의 서식처를 파괴하고, 자연을 인간이 이용하는 자원으로 취급하고, 기후 변화를 향한 계속된 경고 속에서도 과잉 생산과 소비를 지속한 인류의 행태를 함께 반성해야 한다. 인간의 권리란 인간이 함께 살아가는 존재들하고 공존할 수 있는 권리이자 공존 가능한 삶의 방식을 인정받을 수 있는 권리이지, 세계를 인간 마음대로 활용하거나 누릴 수 있는 권리는 아니기 때문이다. 그렇게 보면 생태계를 파괴하는 무분별한 개발에 저항할 수 있는 권리, 전쟁 대신 평화를 추구하는 정책을 지지할 권리, 환경을 파괴하는 데 일조하는 나쁜 일자리 대신 좋은 일자리를 요구할 권리, 동물을 학대하는 유흥 산업에 반대할 권리, 일회용품을 안 쓸 수 있는 권리, 학교나 군대에서 채식 식단을 선택할 수 있는 권리 등이 모두 인권에 포함될 수 있다. 이런 조치들은 모두 인간이 직간접으로 코로나19 같은 신종 전염병이나 인수 공통 감염병의 위협에서 벗어나는 데 필요한 방안이며, 방역이 단순히 바이러스에 맞선 전쟁이 아니라 우리가 살아가는 세계를 함께 돌보고 가꾸는 일이 돼야 한다는 사실을 보여주는 증거다.

세계를 우리가 함께 가꿔야 할 정원이자 공동의 세상으로 보는 커먼즈의 시각에서 보면 공공 의료도 조금 다른 의미를 띤다. 커먼즈의 시각은 공공 의료의 중요성을 강조하지만, '공공 의료가 대폭 확충되고 필수적이지 않은 의료 기관은 공공화해야 하며 필수적인 인공호흡기나 의료 장비, 마스크 등의 생산과 유통은 정부가 관리해야만 한다'[+]는 주장에 머무르지 않는다. 감염병을 관리하려면 필수 장비나 병상을 당연히 필요한 만큼 충분히 갖춰야 하지만, 의료 생태계 전체의 공공성에 더해 의료의 내용을 함께 문제 삼기 때문이다. 공공 의료는 단지 공급의 주체가 공공이라는 의미만은 아니다. 코로나19 위기 상황은 이제까지 시민들이 권리의 이름으로 요구해온 많은 의료적 처치 중에서 공공을 위해 반드시 필요한 의료가 무엇인지를 재고하라고 요구한다.

여기서 직시해야 하는 또 하나의 사실이 있다. 글로벌 코로나19 위기 속에서 의료영리주의자들이 신봉하는 미국 모델과 공공 의료를 강조하는 쪽에서 본보기로 삼아온 유럽 모델이 모두 좌초한 점이다. 방역 상황에 한정되기는 하지만, 이런 사실은 한국의 의료가 감염병 위기 상황에서 공공 부문을 넘어서는 공공성을 발휘한 현실을 보여준다. 대구와 경북 지역에서 폭발하듯 일어난 대규모 집단 감염 상황에서는 공공 병원을 포함해 대학 병원, 의료 봉사 형식으로 결합한 민간 의료 인력, 기업에서 지원한 생활 치료 공간이 모두 활용됐으며, 장애인을 비롯해 홀로 자가 격리하기 어려운 사람들을 위해 돌봄 공백을 메운 많은 시민단체와 자원봉사자가 있었다. 감염이 염려되는데도 다른 지자체에 병상을 내어주면서 연대를 선택한 곳도 있었다.

이런 모습은 실제로 의료 공공성 문제가 단지 공공 병원 병상 확

[+] 우석균, 〈코로나19, 환경위기, 자본주의〉, 《녹색평론》 172호, 2020, 8쪽.

보를 넘어서는 문제이며 시민사회의 강화 또는 사회 전반의 공공성 강화로 귀결된다는 사실을 보여준다. 공동체의 필요에 반응하고 움직일 수 있는 시민들의 존재가 중요하며, 위기 상황에 응답해 공공 부문과 민간 부문을 아울러 조직하고 동원할 수 있는 거버넌스의 존재가 필요할 뿐 아니라, 이런 일을 가능하게 할 정치가 요구된다.

코로나19 위기에서는 의료 분야에서 시설과 장비 또는 마스크나 방역복 같은 소모품 관련 문제가 드러났지만, 상대적으로 더 중요한 사안은 돌봄 공백이었다. 의료인들은 모두 인력 부족과 장시간 노동에 시달렸고, 코로나19 사태가 장기화되거나 2차 유행이 오면 현재의 의료 체제로 대응할 수 없다는 전망이 나온다.✚ 실제로 대구에서는 대규모 유행 사태가 채 끝나기도 전에 비정규직 의료 인력이 해고된 사례가 보고됐고, 지난 5월 대한간호협회가 코로나19 관련 간호사들을 대상으로 조사한 결과를 보면 70퍼센트 넘는 간호사가 일방적으로 휴직을 강요당하거나 거꾸로 가족 돌봄 휴가를 쓰지 못하는 등 부당 처우를 경험했다. 민주노총 전국보건의료산업노동조합(보건의료노조)은 코로나 이후 사회를 준비하는 과정에서 간호사의 노동 조건이나 처우를 개선하는 투쟁을 벌이기로 결의하기도 했다. 영웅으로 칭송받지 않아도 되니 노동자의 권리나 보장되면 좋겠다는 말이 나오는 상황에서 감염병이 또 닥치면 과연 누가 나서서 위기를 온몸으로 막아낼 수 있을까.

✚ 최은경, 〈코로나 시대는 새로운 의료를 예비하는가〉, 《창작과비평》 188호, 2020.

이런 여러 현실적인 문제 앞에서 코로나 전쟁의 이름으로 노동자들에게 영웅적 희생을 요구하는 태도는 해결책이 되지 못한다. 일상의 문제들을 해결하려고 전쟁의 은유를 소환한다면 얻는 것보다 잃는 것이 많을 수밖에 없다. 일상 전체가 전쟁의 대상인 삶은 지속가능하지 않기 때문이다. 더구나 코로나19 사태가 언제까지 지속될지 알 수 없고, 백신이 나오더라도 지난날의 삶으로 돌아가지 못할 듯하며, 심지어 코로나19는 시작일 뿐 새로운 감염병을 비롯해 기후 위기에 따른 여러 재난이 닥쳐오리라고 예측되는 상황이다. 당장 올여름에 닥칠 기록적인 폭염은 바깥에서 일하는 많은 노동자를 비롯해 더위를 피할 수 없는 조건에서 생활하는 취약 계층에게 커다란 위기다. 코로나19 때문에 식량 가격이 오르면 경기 침체로 고통받는 사람은 더욱 늘어난다. 또한 해외에서 생산된 값싼 상품을 이제 더는 사용할 수 없게 되면, 장기적으로는 과잉 생산과 소비를 하며 살아가는 인간들에게 시달린 지구와 뭇 생명들에 도움이 될 수도 있지만, 당장 생활에 곤란을 겪는 사람이 많아질 수밖에 없다.

코로나19 위기는 바이러스를 대상으로 승리만 하면 되는 전쟁도 아니지만, 새로운 감염병의 출현 자체가 기후 위기에 맞닿아 있는 상태에서 단순히 바이러스만의 문제도 아니다. 따라서 단기 목표를 설정하고 바이러스에 맞서 싸우면서 노동자들에게 영웅적인 희생을 요구하고 인권을 제약하는 상황을 당연하게 생각하는 방식으로는 문제를 해결할 수 없다는 사실은 명확하다. 인간 중심의 편리를 버리면서 삶에서 중요하지 않은 요소를 덜어내고, 인간 아닌 존재들하고도 공존한다는 자세를 갖추고, 주변 세계를 함께 돌보고 가꾸는 마음으로 살아갈 때만 우리는 이 거대한 위기를 빠져나갈 수 있다.

서로 보호하고 돌보는 사회를 위하여

수전 손택은 《은유로서의 질병》의 서문에서 말한다. "사람들은 모두 건강의 왕국과 질병의 왕국, 이 두 왕국의 시민권을 갖고 태어나는 법이며, 아무리 좋은 쪽의 여권만 사용하고 싶을지라도, 결국 우리는 한 명 한 명 차례대로, 우리가 다른 영역의 시민이기도 하다는 점을 곧 깨달을 수밖에 없다." 코로나19사태가 장기화되는 상황에서 시민 개개인이 자기의 건강과 타인의 안전을 배려하는 행동을 할 의무를 다해야 당연하지만, 그런 노력이 감염자를 향한 비난으로 바뀌어서는 곤란하다. 누구든 감염될 수 있다는 현실을 외면하지 않고 서로 보호하면서 감염의 책임을 나눠 가지는 사회라야 감염도 막을 수 있기 때문이다.

인권을 앞세우고 방역을 뒤로하자는 말은 결코 아니다. 거꾸로 효과적인 방역을 위해서라도 현실을 살아가는 사람들의 세정世情을 이해하고 사회 곳곳에 생겨나는 돌봄의 공백을 메워야 한다는 점을 강조하고 싶다. 이제 코로나 사태가 끝나고 나면 기후 위기의 해결을 비롯해 삶의 방식에서 근본적인 변화를 수반하는 체제 변화까지 이야기해야 한다. 그래도 당장은 체제 밖으로 내몰린 사람들, 국가가 감당하지 못하는 사회의 구멍들을 찾아 메우는 데 몸을 아끼지 않은 사람들 덕에 이나마 버티고 있다는 사실을 기억해야 한다. 내 안전이 불안할수록 쉬운 비난과 선동에 나를 맡기기보다는 돌봄과 연대가 필요한 곳을 지원해서 사회적 면역을 강화하는 편이 나를 지키는 데도 훨씬 이롭다는 점을 함께 기억하자.

더 읽을거리

율라 비스 지음, 김명남 옮김, 《면역에 관하여》, 열린책들, 2016

인간의 삶은 독자적으로 존재할 수 없고, 아무리 두렵고 불안하다고 해도 타자들을 내쫓는 일은 불가능하며, 함께 가꾸고 살아가야 할 이 정원을 더 건강하게 해야 한다고 말한다. 백신 접종을 둘러싼 논쟁을 배경으로 하지만, 함께하는 건강한 삶이 어떻게 가능한지에 관해 많은 시사점을 준다.

파올로 조르다노 지음, 김희정 옮김, 《전염의 시대를 생각한다》, 은행나무, 2020

코로나19가 한창인 상황에서 이탈리아 철학자 파올로 조르다노는 이 시대를 '전염의 시대'로 진단한다. 조르다노는 현대가 직면한 가장 거대한 공중 보건 비상사태에 우리는 그저 불안과 공포에 떠는 데 그치지 말아야 하며, '인간은 섬이 아니다'는 사실을 자각하고 이 사태를 불러온 인간의 책임을 돌아봐야 한다고 주장한다.

데이비드 쾀먼 지음, 강병철 옮김, 《인수공통 모든 전염병의 열쇠》, 꿈꿀자유, 2020

코로나19 이전부터 우리는 조류 독감, 사스, 에볼라, 메르스 같은 전염병에 시달렸다. 왜 요즘 들어 동물의 병원체가 인간에게 건너와 생기는 인수 공통 감염병이 자주 발생하는지, 인류는 과연 기후 위기와 팬데믹의 시대를 이겨내고 살아남을 수 있을지를 생각해볼 수 있다.

5장

낙인, 혐오, 배제라는 팬데믹은 극복할 수 없을까?

최종렬

2019년 말, 중국 후베이 성 우한에 자리한 화난 해산물 시장에서 원인 불명 바이러스가 발생했다. 12월 31일, 중국 정부는 환자가 27명이라고 보고했고, 2020년 1월 9일에는 사망자도 1명 있다고 밝혔다. 1월 20일에는 200명이 넘는 감염자와 4명의 사망자가 더 나왔다고 보고했다. 이때만 하더라도 증상이 폐렴하고 비슷해 몇몇 언론은 '우한 폐렴'이라고 불렀다. 그렇지만 2015년에 병명에는 지리적 위치를 사용하지 말라고 세계보건기구가 한 권고에 따라 중립적인 용어인 '코로나 바이러스'를 쓰게 됐다. 현미경으로 관찰한 과학자들이 바이러스가 왕관 모양이라며 왕관을 뜻하는 라틴어 코로나로 부른 탓이다. 2월 11일, 세계보건기구는 'Corona Virus Disease 2019'를 줄인 '코비드 19[COVID-19]'를 공식 명칭으로 정했고, 한국 정부도 '코로나 바이러스 감염증-19'(코로나19)라는 명칭을 채택했다. 코로나19가 전 세계 여러 나라로 확산하자, 3월 11일 세계보건기구는 팬데믹(감염병 세계 유행)을 선언했다. 이 선언을 입증이나 하듯 코로나19는 중국, 아시아, 유럽, 미국, 남아메리카, 오스트레일리아, 아프리카로 빠르게 확산됐다.

코로나 팬데믹, 혐오 언어 확산

코로나19가 전세계로 번지면서 혐오 언어도 국경을 넘나들며 창궐하기 시작했다. 가장 먼저 코로나19의 발원지로 지목된 중국을 향한 혐오 언어가 쏟아졌다. 박쥐까지 잡아먹는 중국인의 식습관을 비난하고 앞다퉈 '야만적인 중국인'과 '문명화된 자국민'을 분리했다. 프랑스의 한 지역 신문은 마스크를 쓴 중국 여성 이미지에 더해 '누런 둥이 주의Alerte jaune'라는 문구를 1면 헤드라인으로 뽑았다. 공공장소를 걸어가는 동양인에게 다가와 마스크를 쓰라고 협박하는 일도 벌어졌다. 스페인 바르셀로나에서는 길을 가는 동양인 앞에 현지인이 다가와 일부러 기침을 하거나 얼굴을 가리는 일이 벌어졌다. 영국에서도 싱가포르 유학생에게 영국인이 다가와 코로나 바이러스라고 불렀고, 뒤를 돌아보자 갑자기 성을 내며 얼굴을 여러 번 때렸다. 오스트레일리아에서는 길 가던 동양 여성에게 두 백인 여성이 다가와 동양인이 코로나 바이러스를 가져왔다며 침을 뱉고 욕설을 퍼부었다. 미국 뉴욕 맨해튼 차이나타운 지하철역에서는 흑인 남성이 중국 혐오 언어를 내뱉으며 마스크를 쓴 아시아 여성을 폭행했다.

한국에서도 1월 말 각종 온라인 커뮤니티에서 일본 불매 운동을 패러디한 '노 차이나' 로고가 등장했다. 오성홍기가 담긴 이 그림에는 '죽기 싫습니다'와 '받기 싫습니다'라는 문구가 들어 있다. 서울 중구에 있는 한 식당은 입구에 한자로 '중국인 출입 금지'라는 안내문을 내붙였다. 평소에 중국인이 자주 찾는 식당이다. 한 해 중국인 관광객 100만 명이 방문하는 제주에서도 식당과 찜질방에 중국인 입장 불가를 알리는 안내문이 나붙었다. 한 포털 사이트 게시판에는 이런 글이 올라왔다. "마트 화장실에 피 묻은 마스크가 있는데 신고해야 하나요. 중국 국기가 그려져 있어서요." 오성홍기가 그려진 피

묻은 마스크가 쓰레기통에 버려져 있는 사진 밑에 '#우한폐렴, #정부은폐'라는 해시태그까지 붙었다.

이런 흐름에 발맞춰 중국인 입국 봉쇄 조치가 전세계에서 잇달았다. 1월 23일, 이탈리아는 중국 우한에서 온 관광객이 코로나19 확진 판정을 받자 즉각 중국을 오가는 모든 항공편을 가로막았다. 2월 1일, 미국은 최근 2주 사이에 중국을 다녀온 외국인은 모두 입국을 막고 미국 국민도 2주 동안 격리시킬 계획이라고 발표했다. 뉴질랜드는 2월 2일부터 중국에서 출발하거나 환승한 모든 외국인의 입국을 금지했는데, 다만 자국민과 영주권자, 그리고 그 사람들의 직계가족은 제외한다고 밝혔다. 러시아는 2월 20일부터 중국, 홍콩, 마카오, 타이완 국적인 외국인의 입국을 금지했다. 베트남도 도착일 기준 14일 이내에 중국을 방문한 모든 외국인의 입국을 막았다. 이스라엘, 말레이시아, 싱가포르 등 다른 나라들도 비슷한 방식으로 중국인의 입국을 막았다.

한국도 예외가 아니어서 중국인 입국을 원천 봉쇄해야 한다는 목소리가 쏟아져 나왔다. 중국인 입국을 금지해달라는 청와대 국민청원은 1월 23일에 60여 만 명이 동의했다. 자유한국당은 1월 28일에 '우한폐렴 감염증 대책 TF'를 가동하고 정부에 중국인 입국 금지 조치를 요구했다. 한국 정부가 자국민의 생명과 안전보다는 중국 눈치 보기에 급급하다고 비판하면서 코로나19를 정치적 문제로 만들려 했다. 2월 16일에는 소속 의원 107명의 이름으로 '우한폐렴 비상사태 종료시까지 중국인 및 중국입국 외국인의 입국금지 촉구 결의안'을 냈다. 몇몇 보수 언론도 국경을 봉쇄해 '우한 폐렴'을 막아야 한다며 중국인 혐오에 가담했다.

한국 정부는 중국인 입국을 봉쇄하는 대신 입국자 중심으로 감염 여부를 확인하는 관리 체제로 돌입했다. 신속한 검사와 투명한 시스템으로 코로나19가 확산되는 흐름이 한동안 주춤하자 정부 비판도 어느 정도 잦아들었다. 국경을 봉쇄하지 않고도 코로나19가 확산되지 못하게 막은 한국 정부를 향해 전세계에서 찬사가 쏟아졌다. 혐오 언어가 힘을 잃는가 싶은 순간, 2월 18일 대구에서 신천지 교인인 31번 환자가 나왔다. 이날을 기점으로 신천지 교인 사이에 코로나19가 빠른 속도로 번지자 31번 환자를 '슈퍼 전파자'라 부르는 혐오 언어가 다시 튀어나왔다. 이미 사이비 종교로 알려진 신천지가 괴이한 예배 방식을 통해 코로나19를 확산시키는 주범으로 낙인찍혔다. 신천지를 강제 해산시키라는 청와대 국민청원에 동의하는 국민이 순식간에 100만 명을 넘어섰다. 신천지 교인을 벌레나 좀비로 부르는 혐오 언어가 퍼졌다. 정부가 다시 나서서 신천지 교인을 중심으로 방역을 실시했고, 이제 감염원인 신천지 교인만 격리하고 전수 조사를 하면 문제가 해결될 듯했다.

신천지 교인을 대상으로 한 통제가 어느 정도 빛을 발하려는 순간, 대구에서 감염자 수가 빠르게 늘어났다. 대구라서 코로나19가 발생했다면서 대구 시민을 야만적이고 낙후된 집단으로 낙인찍기 시작했다. 서울 출장길에 고속철도를 탄 한 대구 시민은 화장실을 다녀오는 자기에게 뒷좌석 승객이 소독 스프레이를 마구 뿌리더라면서 울화통을 터트렸다. 코로나 확산을 막으려면 대구를 봉쇄해야 한다는 말까지 나오면서 대구 출신 사람은 출입하지 못하게 막는 식당도 등장했다. 특유의 보수주의를 지닌 대구 시민을 고립된 섬 안에 갇힌 낙후된 원주민으로 조롱하는 정치적 선동도 나왔다. 이제 대구 시민만 통제하면 코로나19의 확산을 막을 수 있을 듯했다.

코로나19가 전국으로 빠르게 확산하자 대구 시민을 향한 혐오 언어는 힘을 잃었다. 지역에 상관없이 한국인이라면 누구나 코로나19에 감염될 수 있다는 공포가 널리 퍼졌다. 공공장소에서 '사회적 거리 두기' 운동이 벌어졌다. 마스크 착용이 필수 에티켓이 되면서 마스크를 쓰지 않고 거리에 나선 사람은 무뢰한으로 낙인찍혔다. 마스크 없이 거리에 나서다가 폭행을 당한 사람도 생겨났다. 마스크를 제때 공급하지 못한다며 정부 불신을 조장하는 혐오 언어가 쏟아졌다. 중국에 마스크를 보낸 탓에 마스크가 부족하다며 자국민보다 중국인을 더 배려하는 사대주의 정부라는 정치적 혐오를 내뱉었다.

마스크 수급이 어느 정도 안정되자 사회적 거리 두기 운동에 동참하지 않는 집단이 타깃이 됐다. 면역력 약한 노인이 감염에 취약하다는 사실이 알려진 뒤 콜라텍에서 춤추는 노인을 혐오하는 언어가 널리 퍼졌다. 요양병원 같은 노인 집단 거주 시설도 기피와 혐오의 대상으로 추락했다. 젊은이는 면역력이 강해 감염이 잘 안 되고, 설사 감염되더라도 가벼운 증상으로 끝난다는 소문이 돌았다. 젊은이들이 술집과 클럽에 모여들고, 제주도행 비행기를 가득 채웠다. 남을 배려하지 않는 이기적인 젊은이들을 향한 혐오 언어가 쏟아졌다.

해외 입국자를 대상으로 검역을 강화하고 전국민이 힘을 합해 사회적 거리 두기를 강도 높게 실천하자 4월 들어 하루 신규 확진자 수가 10명 이내로 안정됐다. 5월 6일, 정부는 확산세를 잡았다며 생활 속 거리 두기로 전환했다. 그러자 기다렸다는 듯《국민일보》는 5월 7일자 기사에서 이태원 게이 클럽에 코로나19가 확산되고 있다며 성 소수자 혐오를 조장했다. 다른 언론들도 뒤질세라 지금까지 코로나19 감염과 성 소수자가 아무 상관이 없다는 사실을 잊은 듯 성 소수자를 혐오하는 언어를 쏟아내기 바빴다. 곧바로 개신교를 중심으로 '하나님의 질서에 반하는' 성 소수자 혐오 언어가 폭발했다.

5월 들어 집단 감염이 다각도로 발생했다. 특히 5월 25일 쿠팡 부천 물류센터에서 집단 감염이 발생하면서 '대면 노동'을 하는 비정규 택배 노동자가 혐오 대상이 됐다. 6월 들어서는 수도권을 중심으로 코로나19 연쇄 집단 감염이 계속 발생했다. 서울시 관악구 방문판매 업체 리치웨이에서 시작된 집단 감염은 중국동포교회 쉼터, 방문 판매 업체 엔비에스 파트너스, 명성하우징, SJ투자회사 콜센터까지 번졌다. 유흥업소와 노래방에도 감염자가 급증했고, 이런 시설이 몰려 있는 수도권이 이제 혐오 대상이 됐다. 결국 국민과 비국민, 종교인과 비종교인, 노인과 젊은이, 성 소수자와 성 다수자, 정규직과 비정규직, 수도권 주민과 지방 주민 할 것 없이 한국 영토 안에 사는 누구든 혐오 대상이 될 처지에 몰렸다.

영토 국가의 절대 주권

혐오 대상을 가만히 들여다보면 사회 구조의 주변에 위치한 사람들이다. 조선족, 비주류 종교인, 대구 지방인, 노인, 젊은이, 성 소수자, 비정규직 노동자 등 종족, 종교, 지역, 연령, 섹슈얼리티, 직업이라는 사회적 범주에서 열악한 자리에 놓인 소수자에게 혐오를 퍼붓는다. 그런데 시간이 지나면 결국 사회 구조적으로 우월한 자리에 있는 다수자에게 혐오가 되돌아온다. 소수자든 다수자든 상관없이 누구나 혐오 대상이 되면서 이 둘을 나누는 구분 자체가 흐릿해진다.

사회 구조적으로 어떤 곳에 자리하든 누구나 혐오 대상이 될 수 있다는 말이다. 그렇다면 사회적 공간에서 차지하는 객관적 자리 자체가 혐오 대상을 만드는 것이 아니다. 오히려 한 사회가 지닌 '이상'에 관련해 부정적 관계를 맺어야만 혐오 대상이 된다. 한 사회의 이상은 '무엇이 좋은 삶인가?'를 따지는 가치로 표현된다. 문화사회학자 제프리 알렉산더Jeffrey Alexander에 따르면 가치는 성聖과 속俗이라는 이항 대립을 근본으로 하는 '문화 구조'로 구체화된다. 혐오 대상을 문화 구조의 차원에서 보면 국민 대 외국인, 정통 대 이단, 중앙 대 지방, 성인 대 노인/청년, 이성애자 대 동성애자, 정규직 대 비정규직의 이항 대립이 작동한다는 점을 알 수 있다. 한국인은 민족주의, 정통주의, 중앙주의, 연령주의, 성애주의, 직업주의라는 다양한 문화 구조를 활용해 조선족, 대구 지방인, 노인, 젊은이, 성 소수자, 비정규직 노동자를 비정상적 혐오 대상으로 낙인찍는다.

일단 이렇게 낙인찍혀서 정당하지 못한 존재로 규정된 사람들의 사회적 자리는 이런 오염된 문화적 지위에 더욱 가깝게 변하고, 그런 결과 사회적 삶에서 배제된다. 대부분의 외국인은 한국에 살면서 한국 국민하고 똑같이 경제 활동을 하고 세금을 내지만, 국제결혼을 해 한국인의 배우자가 돼 영주권을 받은 사례를 제외하면 재난지원금 지급에서는 배제됐다. 이유는 딱 하나, 정상적인 국민이 아니기 때문이다. 그렇게 배제되면 또다시 혐오 대상으로 더 강하게 낙인찍힌다. 이런 악순환은 더 강화되고, 그럴수록 혐오 언어가 온 사회를 휩쓸게 된다. 그러다 보면 국민적 이상에서 조금이라도 멀어 보이는 존재가 나타나면 누구든 곧바로 혐오 대상으로 돌변한다. 코로나19 때문에 나타난 혐오가 몇몇 소수자에게만 한정되지 않고 사회 성원 전체로 번진 이유가 여기에 있다.

이런 현상이 한국에만 일어나지는 않았다. 세계보건기구는 코로나19를 팬데믹으로 선언하고 전지구적 협력을 강조했지만, 모든 나라가 이런 경고를 뿌리치고 각자도생의 길을 갔다. 각국은 먼저 코로나 전파자로 의심받는 외국인을 봉쇄하는 정책을 취했다. 이탈리아를 필두로 유럽 국가들은 앞다퉈 국경을 봉쇄했다. 국경 통과를 막고 자국 영토 안에 있는 모든 사람의 이동을 제한했다. 각국의 영토는 마치 고립된 컨테이너처럼 바뀌었다. 초기에는 강 건너 불 보듯 하던 미국도 뉴욕을 시작으로 코로나19가 빠르게 번지자 부랴부랴 봉쇄 정책을 취했다. 컨테이너 안에 들어와 있는 감염자의 동선을 추적하고 감염자와 접촉한 사람들을 검사해 코로나19를 잠재우려 했다. 아시아 국가들도 유럽이나 미국에서 자국으로 들어오는 서구인을 대상으로 입국 검사를 강화하거나 아예 입국을 막았다. 각국 정부는 국경을 봉쇄할 뿐 아니라 자국 영토 안에 들어와 있는 사람의 이동도 제한하고 자가 격리를 강제했다. 심지어는 출입 전면 봉쇄까지 감행했다.

이런 상황에서 각국 정부의 행정 명령에 따르지 않고 집 밖으로 나오는 사람은 혐오 대상이 됐다. 더 나아가 외국에서 들어오는 모든 사람이 코로나19 감염원으로 의심받았다. 외국인 혐오가 기승을 부리면서 국가 간 협력과 협치 대신 반목과 일국 통치가 일상이 됐다. 각국 정부가 자국 영토 안에서 얼마나 효율적으로 행정력을 동원해 코로나19의 확산을 막고 종식시키는지에 모든 관심이 모아졌다. 행정 역량에 따라 코로나19가 종식되는 양상이 다르게 나타난다며 정부에 전권을 부여했다. 이렇게 각국 정부의 행정 역량에 맡겨놓으면 코로나19가 해결될 수 있을까? 국경을 넘나들며 살아가는 글로벌한 일상이 회복될 수 있을까? 이런 물음을 던지기 전에 우리는 한 국가가 자국 영토 안에서 절대적인 힘을 휘둘러도 된다는 생각을 당연하게 여기게 된 역사적 맥락을 성찰해야 한다.

현재 세계는 200개가 넘는 국민국가로 구성돼 있고, 각국 정부는 자국 영토 안에서 절대 주권을 행사해야 한다는 기대를 받는다. 이런 상황에서는 세계보건기구를 비롯한 여러 국제기구도 코로나19 같은 전지구적 재앙을 진단, 예방, 처방, 치유하는 데에는 역부족이다. 대신 개별 국가가 자국 영토 안에서 발생하는 코로나19에 독자적으로 대처해야 한다는 기대를 받는다. 이를테면 중국 정부는 1월 12일에 각국 정부가 진단 키트를 개발하는 데 사용할 신종 코로나 바이러스의 유전자 서열을 세계보건기구는 물론 다른 국가들하고 공유했다. 중국의 한 연구소가 세계 최초로 신종 코로나 바이러스를 재생산하는 데 성공했지만, 바이러스 샘플은 공유하지 않고 유전자 서열 정보만 공개했다. 국제법 규정이 제대로 마련되지 않아 이런 협력에는 한계가 있다. 〈2005년 국제 보건 규약〉 제6조 제2항과 제7조에 따르면, 당사국이 제공하는 정보는 감염국의 자국 내 감염병 발생 여부와 현황, 대응 조치에 관한 정보로 제한돼 있다.

코로나19가 팬데믹이라면서도 왜 해결은 개별 국민국가에 떠넘기는 걸까? 무엇보다도 명확하게 구획된 영토 안에는 단 하나의 국가가 절대 주권을 행사한다는 근대 국민국가 원리가 작동하기 때문이다. 1648년 베스트팔렌 조약에서 시작된 이 원리는 19세기 들어 기세를 떨친 민족주의에 힘입어 전세계로 번졌다. 근대 역사를 관통해 한 '영토' 안에 정치 공동체인 '국가'와 문화 공동체인 '국민'을 하나로 정렬시키는 '영토화 작업'이 대세가 됐다.

분석적 차원에서 볼 때 영토화 작업은 두 가지가 있다. 먼저 국가가 중심이 돼 명확하게 구획된 영토 안에 있는 모든 사람을 국민으로 만드는 방식이다. 영토 안에 있는 다종다양한 혈연, 문화, 지역, 계급, 젠더, 섹슈얼리티 집단을 모두 하나의 국민 문화를 가진 국민으로 만드는 작업이다. 어떤 집단에 속하든 상관없이 모두 인간의 권리를 누리도록 시민권을 부여한다. 영국 스완지 대학교 정치학 교수 롤랜드 액스트만Roland Axtmann은 이 과정에서 누가 국민이고 국민이 아닌지를 구별하고 통합/배제하는 작업이 진행된다고 주장한다.

다른 하나는 명확히 구획된 영토 안에 살아가는 하나의 민족이라고 여겨지는 집단에 하나의 국가를 대응시키는 방식이다. 전통적으로 하나의 공동체 속에 존재하던 문화적 정체성을 근대에 새롭게 수립된 국민적 정체성에 연결해 연속성을 만드는 역사 작업이 진행된다. 앤서니 스미스Anthony D. Smith에 따르면, 민족은 역사적으로 하나의 집합적 이름을 가졌고, 공동의 선계와 신화를 공유했으며, 하나의 역사적 기억을 공유했고, 언어 같은 공동의 문화를 가졌으며, 특정 영토 안에서 대대로 살아왔고, 그래서 애초부터 민족적 연대감을 지니고 있는 실체로 간주된다. 국가는 이렇게 이미 존재하는 민족을 하나의 정치적 공동체로 만드는 구실을 한다.

이런 분석적 구분 속에서도 모든 국민국가는 민족의 자율성, 통일성, 정체성이라는 이상을 실천하는 과정에서 서로 엇비슷해졌다. 모든 국민국가는 개인은 사멸해도 국민은 영원해야 한다는 지상 과제를 실천하게 됐다. 모든 국민은 개인으로서 자기 자신은 사멸해도 열심히 노동해서 국민국가를 불멸하게 만들 의무가 있다. 시민권 제도를 통해 인간으로 살게 해준 국민국가가 부여한 호혜적 의무인 셈이다. 따라서 국민국가는 명확하게 구획된 영토 안에서 살아가는 국민에게 절대 주권을 휘두른다. 미셸 푸코Michel Foucault는 국민국가가 의학 지식과 수학 지식을 동원해 안보와 안전을 보증할 인구를 조절하고 통제하는 과정을 '통치'라고 불렀다. 1차 대전과 2차 대전, 그리고 홀로코스트를 겪은 유럽에서는 통치 개념이 결코 긍정적이지 않다. 더군다나 요즘 인구 정책의 하나로 난민을 수용소에 가둬 봉쇄한 탓에 더욱 그러하다.

적지 않은 학자들이 각국 정부가 시행하는 봉쇄 정책을 국민국가가 행하는 통치의 연장으로 본다. 안보와 안전을 명분으로 내세워 국민국가의 영토 안에서 움직이는 인구 동선을 추적하고 감시하는 국가 테크놀로지를 염려한다. 개인의 생명과 행복보다는 국민국가의 안보와 안전을 책임질 인구의 재생산에만 관심을 기울인다고 비판한다. 그렇지만 통치가 이렇게 부정적 함의만 지니고 있지는 않다. 통치는 또한 국민의 생명과 권리를 보장하고 지키는 시민권 제도이기도 하다. 조르조 아감벤Giorgio Agamben은 난민 사례에서 볼 수 있듯이 시민권 제도로서 통치가 제대로 적용되지 않으면 우리는 '벌거벗은 생명'으로 전락한다고 말한다. 진짜 문제는 통치라기보다는 국민국가를 자기 완결적인 절대 주권을 가진 존재로 보는 시각이다.

탈영토화

1980년대 후반부터 세차게 몰아친 세계화 바람은 '탈영토화 과정'을 전면화했다. 탈영토화란 상호 연계와 상호 의존의 네트워크가 빠르게 발전하고, 그 네트워크 안에서 개인적 차원, 지역적 차원, 일국적 차원, 국제적 차원, 역내적 차원, 지구적 차원 사이에 상호 작용이 높은 밀도로 일어나는 상태를 말한다. 사람, 상품, 자본, 노동, 지식, 이미지, 범죄, 공해, 문화, 신념, 섹슈얼리티, 재난 등이 특정 국민국가의 영토 안에 한정되지 않은 다차원적 네트워크 안에서 활발하게 오고간다. 이런 다차원적 이동은 강도 높은 상호 작용 속에서 진행되기 때문에 어떤 효과를 낳을지 가늠하기 어렵다. 그래서 원인과 결과라는 선형 모델로는 예측, 설명, 통제가 어렵다.

더 나아가 어떤 한 사건이 특정 국민국가 안에만 한정돼 체험되지 않는다. 가까움과 멂, 친숙함과 낯섦, 지역적인 것과 지구적인 것, 사적인 것과 공적인 것, 안과 밖의 굳건한 이분법이 내부에서 폭파되기 시작한다. 가까운데 낯설고, 멀리 있는데 친숙하고, 지역적인 문제인데 공적 쟁점이 되고, 사적인 것인데 집 밖에서 체험된다. 눈에 보이지 않는 낯선 사건에 누구나 영향을 받을 수 있다. 따라서 물리적으로는 같은 공간에 있더라도 체험 양식은 그 공간에서 분리된다. 존 톰린슨John Tomlinson이 말한 대로 장소와 문화 사이의 자연스러운 일대일 상응 관계가 상실되고 있다.

그전에는 한 영토 안에서 일어나는 사건은 그 영토를 다스리는 한 국가의 일이었다. 그렇지만 코로나19가 보여주듯 이제는 한 지역에서 발생한 바이러스가 영토 국가의 경계를 가로질러 오고가기 때문에 한 국가만의 힘으로 감당하기 어렵다. 이제는 어느 지역에 발을 딛고 서 있든 상관없이 모두 탈영토화 체험을 하고 있다. 한 사건이 발생한 지역과 그 근방에서 겪는 체험이 더 강렬할 수는 있지만, 멀리 떨어진 지역이라고 해서 그 체험을 벗어날 수는 없다. 모두 복합적으로 연계된 지구적 네트워크 안에서는 어느 누구도 자기 완결된 실체로 살아갈 수 없다. 영토 국가의 완결성을 당연하게 여기지 말고 개인적 차원, 지역적 차원, 일국적 차원, 국제적 차원, 역내적 차원, 지구적 차원에서 협치 체제를 만들어내야 한다.

세계화가 새로운 초국적 협치 체제를 만들게 된다는 주장이 한동안 유행했다. 절대 주권을 가진 국가가 명확하게 구획된 영토 안에 사는 자국민을 통치하는 시대가 끝나가고 있다는 섣부른 목소리도 나왔다. 영토의 경계를 넘나들며 벌어지는 사회적 삶이 주요 근거로 활용됐다. 이주의 지구화, 기업의 초국적 활동, 텔레커뮤니케이션의 발달로 가능해진 초국적 공론장, 온난화 같은 지구적 환경 문제, 초국적 테러리즘 등이 그런 사례다.

한동안 유럽 통합 과정에서 이런 협치 체제가 잘 만들어질 수 있다는 낙관적 전망이 우세했다. 그렇지만 지금도 초국적 협치 체제는 제대로 마련되지 않았다. 특히 미국이 세계적 리더십을 버린 뒤 아메리카 우선주의로 돌아서고, 영국이 빠져나가 유럽연합의 내부 결속이 약해지고, 아시아 국가들이 역내 협력 체계를 만드는 대신 민족주의를 강화하면서 탈영토화가 가져오는 부정적 효과에 대처할 수 있는 길에서 갈수록 멀어졌다. 오히려 이런 문제를 일국적 차원에서 해결하려는 재영토화 과정으로 후퇴했다. 각국이 각자도생의 길로 접어들면서 국가가 자국 영토 안에서 절대 주권을 휘두르는 상황이 더욱 강화됐다. 당사자가 누구인지 가늠할 수 없는 탈영토화 체험이 국경을 넘나들며 발생하는데도 문제를 일국적 차원으로 축소했다.

코로나19는 다차원적 협치 체제가 부재한 상황에서 발생한 탈영토화 과정이 어떤 파국을 낳는지 잘 보여주는 사례다. 탈영토화 과정이 일상이 된 삶에서는 코로나19 같은 신종 바이러스의 발원지를 한 곳으로 특정한 뒤 그 지역을 완전 봉쇄해 지구적 확산을 원천적으로 막는 일은 불가능하다. 이제 국민국가는 특정 영토에 고립된 컨테이너가 아니라 다른 나라들에 서로 연계된 탈영토화된 네트워크다. 그 안에서 개인, 집단, 지역, 국가, 역내, 세계 등 여러 차원의 행위자들이 강도 높은 상호 작용을 하고 있다. 일국적 차원에서 국경을 봉쇄하고 자국 영토 안에서 이동을 통제하게 되면 감염을 어느 정도 조절할 수는 있겠지만, 복합적으로 연계된 네트워크 안에서 다차원적 상호 작용이 멈추면 코로나19 사태가 보여주듯 당장 일상의 사회적 삶 자체가 위기에 빠진다.

코로나19의 확산세는 언젠가 멈출 수밖에 없다. 바이러스도 활동 주기가 있으니 가라앉을 때가 오고, 그러는 사이 바이러스에 대응해 의료계가 기울인 노력이 결실을 맺을 수도 있다. 그렇다고 코로나19 이후의 사회적 삶이 이전하고 똑같을 수는 없다. 탈영토화 과정이 일상이 된 지금, 언제든지 다시 새로운 재난이 몰아닥칠 수 있다. 그럴 때마다 특정 지역과 주민을 상징적으로 오염시키고 혐오와 배제의 언어를 쏟아낼 수는 없다. 혐오 언어를 퍼붓던 사람을 상대로 어떻게 다시 상호 작용을 하며 더불어 살아갈 수 있겠는가? 사망자가 속출하는데도 개별 국가의 절대 주권에만 떠넘기고 나 몰라라 딴청을 피울 수는 없다.

코로나19는 '사회'가 무엇인지 다시 한 번 성찰하게 한다. 국적이나 인종 같은 사회적 범주에 상관없이 인간이라면 누구나 코로나19에 감염될 수 있다는 사실은 우리 모두 지구라는 혹성에서 한 인류로 살아가고 있다는 사실을 깨우쳐준다. 사회적 거리 두기를 극단화하면 사람들이 모여서 상호 작용을 하지 않게 되고, 급기야 사회가 멈춰버린다. 코로나19가 사회적 상호 작용 때문에 확산됐지만, 사회 자체도 사회적 상호 작용을 통해 구성되는 과정이라는 점을 잊으면 안 된다. 탈영토화된 지구적 네트워크 안에 살아가는 우리가 타자를 혐오하고 배제해 상호 작용에서 몰아낸다면, 사회란 아예 불가능하다. 우리는 혐오 언어 대신에 연대 언어로 코로나19 이후의 사회를 상상하고 만들어가야 한다.

우리 모두 당사자

많은 학자가 코로나19 같은 팬데믹이 일회성으로 끝나지 않고 주기적으로 발생하게 된다고 예측한다. 그래서 개별 국민국가의 일방적인 봉쇄에만 맡기지 말고 다차원적 연대로 나아가야 한다. 연대의 출발점은 어느 영토에서 살아가든 상관없이 영향을 받는 사람은 모두 당사자라는 인식이다. 탈영토화가 전세계적으로 진행되기 전까지는 좋은 삶의 내용을 둘러싸고 생각이 다를 수는 있어도 좋은 삶을 누리는 당사자가 국민이라는 점에는 한 치의 의심도 없었다. 비국민과 국민이 똑같이 좋은 삶을 누리는 상황은 말이 되지 않는다고 여겨졌다. 국민과 비국민을 나눠 국민을 우대하지 않는 개별 국민국가는 없다. 특히 비국민이 국민의 좋은 삶을 위협하는 존재로 여겨질 때는 더욱 그러하다.

그럼 국민은 누구인가? 코로나19를 계기로 혐오 언어가 난무하는 모습을 보고 우리는 국민이 누구인지 물을 수 있다. 코로나19 이전의 한국 사회는 어떤 모습이었나? 코로나19보다 더 무서운 혐오 바이러스가 집 밖 세계에 가득했다. 경제적 효율성을 들어 많은 사람을 대면 상호 작용도 할 수 없는 소수자로 내몰았다. 계급, 젠더, 지역, 나이, 교육, 몸, 섹슈얼리티 등 온갖 사회적 범주에서 소수자의 자리를 차지한 사람은 집 밖에 나가기를 두려워했다. 나가면 소수자 혐오 바이러스에 감염된다. 저항하면 혐오 바이러스 보균자로 취급당해 더한 혐오를 뒤집어쓴다. 사정이 이러니 소수자는 대면 상호 작용에 들어가지 못하고 자가 격리를 하고 자가 봉쇄를 당했다. 일터에 나가서도 고립돼 비대면 노동에 동원됐다. 이런 상황은 많은 국민이 마땅히 국민으로서 누려야 할 좋은 삶을 살지 못한 현실을 의미한다. 지금까지는 이런 국민 소수자에게 국민으로서 좋은 삶을 누리게 하는 일이 정치의 주된 존재 이유였다.

코로나19는 국민만이 좋은 삶의 당사자라는 인식에 도전장을 던진다. 탈영토화된 세계에서는 원인과 결과라는 선형적 모델을 통해 상호 작용의 과정과 후과를 예측하거나 통제하기 어렵다. 특히 코로나19 같은 신종 바이러스는 전례가 없어서 누가 당사자인지 가능하기가 더욱 힘들다. 국민과 비국민을 가릴 것 없이 누구나 코로나19에 감염될 수 있으며, 더 나아가 혐오 대상으로 전락할 수 있다는 점은 이 땅에 사는 우리 모두 좋은 삶의 당사자라는 사실을 깨우쳐준다. 국적이나 체류 신분이 아니라 영향을 받는다는 사실이 바로 당사자의 자격 조건이 된다. 국적이나 체류 신분이 다르다고 해서 코로나19의 영향을 벗어날 수는 없기 때문이다. 그렇다고 지금처럼 특정한 인종, 종교, 지역, 연령, 섹슈얼리티, 직업에 당사자를 한정하고 혐오와 배제의 언어를 쏟아내면 안 된다. 인종, 종교, 지역, 연령, 섹슈얼리티, 직업에 상관없이 원하지 않아도 영향을 받는 사람이라면 모두 당사자다. 우리 모두 지구인이자 특정 국가의 국민이며, 특정 지역 주민이자 특정한 개인이다. 그래서 개인적 차원부터 지구적 차원까지 모두 포괄하는 다차원적 협력이 필요하다. 당사자인 우리가 서로 연대와 포용의 언어를 써서 소통하고, 그런 과정에서 함께 문제 상황을 정의하고 해결해야 한다.

먼저 서로 체험을 넓혀야 한다. 어떻게 해야 할까? 코로나19 이전의 사회를 떠올려보자. 지하철, 버스, 택시, 고속철도, 비행기, 배를 타고 자유롭게 이동한다. 사무실, 공장, 농장, 공사장 등 일터에 나가 사람들하고 부대끼며 일한다. 시장, 백화점, 쇼핑몰, 음식점, 술집, 공원, 야구장, 축구장에 가 사람들 사이에서 함께 소비하고 즐긴다. 교회, 성당, 사찰, 서원에 가 사람들 틈에 끼어 공동 집회를 연다. 학교, 학원, 유치원에 나가 사람들끼리 어울리며 공부한다. 코로나19가 확산하기 전에 우리가 당연하게 누린 일상의 삶이다. 이 당연한 삶이 코로나19의 확산을 막으려는 사회적 거리 두기 운동 때문에 의심을 받게 됐다.

얼굴과 얼굴을 맞대고 상호 작용하지 않으면 일상의 삶 자체가 위기에 몰린다는 사실이 비로소 도드라진다. 그제야 일상의 삶이 우리 모두 대면 상호 작용을 통해 구축하고 유지해온 놀라운 공동의 성취로 보인다. 사회학의 창건자 중 한 명인 게오르크 지멜Georg Simmel은 대면 상호 작용이 아무것도 아닌 텅 빈 물리적 공간을 의미 있는 사회적 공간으로 만든다고 설파했다. 대면 상호 작용에 들어간 사람들은 상대방에게 감각을 통해 영향을 미친다. 그중에서 눈 마주침은 대면 상호 작용의 가장 직접적이고 순수한 형식이다. 눈 마주침을 통해 각자 고유한 영혼을 교환하고 서로 인정하면서 시선의 호혜성이 수립된다. 지멜은 이 시선의 호혜성이야말로 자유롭고 평등한 개인들이 구성하는 근대 사회성의 씨앗이라고 말한다.

다른 사람을 만나 얼굴과 얼굴을 마주하면서 시선을 호혜적으로 주고받을 수 있어야 사람으로 살 수 있다. 우리가 만들어야 할 포스트 코로나 사회는 누구나 대면 상호 작용의 당사자가 돼 시선을 호혜적으로 주고받을 수 있는 감각의 공동체여야 한다. 내가 타자를 바라보고 있고, 타자도 내가 자기를 바라보고 있다는 사실을 인지한 상태에 바탕해 나를 바라보고, 나도 그 사람이 나를 바라보고 있다는 사실을 알 때, 비로소 '사회적 삶'은 시작된다. 사회적 삶은 초국적 기구, 국민국가, 지방 정부 같은 거대 조직의 작동만으로 가능하지 않다. 대면 상호 작용을 통해 인간으로서 서로 주고받는 작은 의례의 연쇄가 없다면 아무리 제도를 잘 갖춰도 사회적 삶은 제대로 실현되지 않는다. 작은 의례를 주고받으면서 서로 접촉하고 있다는 느낌이야말로 우리 모두 같은 사회 속에 살아가고 있다는 사실을 보증하는 원초 감정이다. 이 원초 감정에 기대어 우리가 상대를 연대의 손을 내밀 당사자로 바라보면 상대도 똑같은 원초적 연대 감정에 기대어 연대의 손을 내민다. 이런 희망을 품어야 당사자인 우리가 모두 좋은 사회적 삶을 함께 만들 꿈을 꿀 수 있다.

지금 포스트 코로나19 사회를 말하는 사람이 많아지고 있다. 누군가는 비대면 상호 작용이 대세가 된다고 말한다. 그렇지만 대면 상호 작용을 통해 호혜적으로 시선을 교환하는 일이 없으면 온전한 사회적 삶이 꾸려질 수 없다. 비대면 상호 작용은 상대를 범주적 인간으로 바라보게 할 뿐이다. 범주적 인간은 국적, 민족, 인종, 계급, 젠더, 섹슈얼리티 등 사회적으로 구성된 다양한 범주를 통해 인지적으로 파악된 인간이다. 한 사회의 이상에 비춰 바람직하지 못한 존재로 할당된 범주적 인간은 쉽사리 상징적으로 오염되고 혐오의 대상으로 전락하기 쉽다. 그 사람이 아무리 고통을 호소해도 대면 상호 작용 없이 범주적 인간으로만 체험하기 때문에 고통에 공감하지 못한다. 마사 누스바움Martha Nussbaum이 한 지적처럼 인지적으로만 확인될 뿐 정서적으로 동일시하지 않기 때문이다.

타자와 나를 정서적으로 동일시하려면 그 타자를 추상적인 범주적 인간이 아니라 구체적인 이야기를 지닌 인간으로 만나야 한다. 구체적인 이야기를 함께 나눈 타자의 고통은 쉽게 저버릴 수 없다. 인간은 고통을 겪을 수밖에 없는 존재일 뿐 아니라 상징적 존재이기 때문에 자기가 겪은 고통을 이야기할 수 있다. 신종 전염병을 마주하고 누구나 자기의 실존이 뒤흔들릴 수밖에 없다는 사실 앞에 우리 모두 인간으로서 존재론적 결함을 깨닫는다. 이 결함 때문에 우리는 모두 고통을 겪게 되며, 타자가 건네는 고통스런 이야기를 남 일처럼 여길 수 없다. 그 사람이 전하는 이야기에 정서가 흔들리고, 그 사람이 한 이야기에 자기 감정을 집어넣어 공감하게 된다. 이런 공감에 기반할 때 나와 타자를 정서적으로 동일시할 수 있고, 급기야 혐오 언어는 우리 모두 당사자라는 연대 언어로 발전할 수 있다.

더 읽을거리

마사 누스바움 지음, 강동혁 옮김, 《혐오에서 인류애로 — 성적 지향과 헌법》, 뿌리와 이파리, 2016

인간이 모두 취약하고 유한하다는 점을 인정하는 행동이 도덕적 판단과 행위에서 얼마나 중요한지 알려준다. 다른 사람의 취약성과 유한성을 인정하지 않으면 역겨움이라는 혐오 감정에 기반한 정치가 힘을 발휘한다. 반면 다른 사람이 겪는 고통이 우리 모두 공유하는 취약성에서 나온다는 사실을 인정하게 되면 연민에 기반한 휴머니티의 정치로 나아간다.

최종렬 지음, 《다문화주의의 사용 — 문화사회학의 관점》, 한국문화사, 2016

이주의 지구화 시대에 국민국가 차원을 넘어 민주주의의 성숙과 인간적 성스러움의 보편화를 달성하려면 사회 각 영역이 자율성을 지닌 사회적 공연장이 돼야 한다는 점을 제시한다. 더 나아가 낙인과 혐오를 통해 타자를 배제하는 대신 보편적인 연대를 창출하려면 사회 전체가 시민적 언어를 활용해 대본을 만들고 이 대본을 사회적 공연으로 실연해야 한다는 점을 밝힌다.

존 톰린슨 지음, 김승현·정영희 옮김, 《세계화와 문화》, 나남출판, 2004

명확하게 구획된 영토 안에서 살아가는 국민에게 절대적 주권을 휘두르던 국민국가가 세계화를 통해 탈영토화된 공간으로 변하고 있다는 사실을 알려준다. 탈영토화란 상호 연계와 상호 의존의 네트워크가 빠르게 발전하고 그 네트워크 안에서 개인적 차원, 지역적 차원, 국민국가적 차원, 국제적 차원, 역내적 차원 사이의 상호 작용의 밀도가 높은 상태를 말한다. 물리적으로 어디에 있든 복합 연계된 탈영토화된 공간에서는 누구나 당사자다.

6장

미디어는 어떤 감염병에 걸려 있을까?

유현재

매우 안타깝지만, 코로나19는 여전히 진행형이다. 한때 확진자가 10명 아래로 발생하는 시기가 이어지며 '코로나 종식' 또는 '포스트 코로나'를 말하는 분위기도 형성됐지만, 이태원 클럽, 학원 강사의 거짓말, 소셜 커머스 물류 창고, 소규모 종교 행사 등이 차례로 불거지면서 사태 초기 엄습한 두려움이 다시 밀려드는 형국이다. 겨우 문을 연 몇몇 미술관과 박물관 등 다중 이용 시설도 다시 문을 닫았다. 밀릴 때까지 밀리던 학생들의 등교가 조금씩, 조심스레 시작됐지만, 학부모와 학교 관계자들의 긴장은 말할 수 없을 정도다.

위기의 종식 또는 최소한의 피해를 경험한 상태에서 다시 안정으로 돌아가려면, 사회의 다양한 주체들이 같은 지향점을 공유하며 필사적인 노력을 다해야 한다. 보건 위기 때 대표적인 활동 주체는 의료진이지만, 정부 당국과 개별 지자체도 핵심 행위자다. 평범한 시민의 자발적 행동 또한 사태 해결에 필수 조건이다. 이런 주체들을 포함한 다양한 그룹은 특정한 위기 상황을 해결하기 위해 개별 영역을 담당해야 하며, 각자 해야 할 노력을 다하는 이 과정을 '위기 관리risk management'로 부를 수 있다.

위기 관리는 다양한 측면과 대상, 차원에 걸쳐 집중적으로 수행돼야만 한다. 방역quarantine이 핵심 영역이고, 관련 정책도 필수이며, 경제적 지원에, 외교 분야의 노력도 결정적 사안이다. 더불어 위기 관리의 주요 영역으로 보건 위기 때 수행하는 소통risk communication을 들 수 있다. 위기에 직간접으로 연결된 정보를 얼마나 원활하고 효과적으로 소통하는지에 따라 사회 전체가 감당해야 하는 피해가 늘어나기도 하고 줄어들 수도 있기 때문이다. 어느 때보다도 정보에 민감해진 대중은 주요 정보원들이 생산하고 유통하는 소통을 통해 상황을 파악하고 이해하며, 그런 과정을 거쳐 내린 판단에 따라 특정한 행동을 수행한다. 따라서 보건 위기 때 대중에게 제공되는 정보의 양과 내용, 방향성 등이 커다란 중요성을 지닌다.

위기 때의 소통과 정보 흐름에 핵심 영역의 하나가 '언론'이다. 여러 미디어를 거쳐 쏟아지는 콘텐츠에 개인의 삶은 아주 큰 영향을 받기 때문이다. 보건 위기가 닥치면 정보량 자체가 많고 영향력도 강한 미디어에 사람들이 특별한 구실을 요구할 수 있는데, 나는 이런 요구를 '심리적 방역psychological quarantine'으로 부르려 한다.

언론은 감염병 위기 때, 특히 코로나19에 관련해 어떤 유형과 내용을 가진 정보를 생산했을까? 심리적 방역이라는 소임을 충실히 수행한 사례도 있지만, 스스로 합의한 준칙을 어기면서 공공의 이익을 거스르는 콘텐츠를 찍어내기 바빴다. 피해를 덧내고 분열을 키우고, 때로는 가짜 뉴스 중개자 노릇을 했다. 이런 사례들을 분석하고 평가한 뒤, 언론과 언론이 제공하는 정보를 주체적으로 해석하고 행동하는 정보 소비자의 미디어 문해력media literacy에 관해 살펴보자.

위기, 그리고 위기 관리

위기는 현대 사회의 숙명이다. 근대 이후 현대에 이르기까지 위기는 사회가 필연적으로 지니는 불안정성에 밀접히 관련됐다. 위기의 종류와 경과는 시대와 지역에 따라 천차만별일 수밖에 없지만, 현대 사회에 들어선 뒤 사회 성원들은 전혀 다른 성격의 위기를 접하고 있다.

전쟁은 한 사회의 성원들이 떠올릴 수 있는 최고 등급의 위기이자 재난이지만, 개인을 비롯한 개별적 사회 주체들이 발생, 예방, 피해 최소화, 조기 극복 등에 관련된 관리 측면에서 끼어들 여지가 많지 않았다. 그렇지만 정치적 혼란, 정쟁에 뒤따르는 사회 갈등, 국가 간 갈등 등 전쟁으로 이어지지는 않지만 파국을 배제하기 어려운 여러 상황은 많은 국가들이 경험하는 새로운 위기다. 이런 위기들에 더불어 요즘 더욱 자주 나타나고, 평범한 위기에 견줘 매우 다른 특성을 드러내며, 앞으로 발생 빈도와 다양성이 증가하리라고 예상되는 위기는 바로 '보건 위기public health risk'다.

보건은 '국민의 건강을 보전하고 증진하는 활동' 또는 '지역 사회의 조직화된 노력을 통해 건강 수명의 연장과 개인이나 집단 또는 지역 간 건강 격차를 해소하며, 신체적이고 정신적인 효율을 제고하기 위한 노력' 정도로 정의된다. 따라서 보건의 '위기'란 개인을 포함한 집단으로서 사회 성원이 특정한 원인으로 건강을 보전, 증진, 유지하는 데 심각한 지장을 받는 상황이라고 할 수 있다. 보건과 의료는 의미, 분야, 특성에서 많이 겹치지만 차이도 크다. 의료는 개인의 건강과 안위, 질병의 예방과 치료에 공헌하려 하는 반면, 보건은 전체 사회 차원에서 성원들이 유지하는 건강의 수준과 증진, 질병 회피 등에 관심을 둔다. 따라서 보건학은 의료, 정책, 법률, 경제, 외교, 커뮤니케이션, 사회학, 심리학 등에 밀접히 연관된 채 기능하고 존재한다.

보건 측면의 위기는 현대의 다양한 위기 상황 중에서도 관리와 대처 측면에서 특히 많은 논의가 필요한 유형이다. 더불어 위기에서 '관리'가 얼마나 필수적인 변수인지 깨달을 수 있는 사안이기도 하다. '위기'를 뜻하는 영어 단어 'risk'의 어원에는 '기회opportunity'라는 의미가 포함된다. '위기'는 일단 발생하면 손놓고 저절로 해결되기만 기다려야 하는 일이 아니라, 적극적으로 예방하고, 발생 시점을 예측하고, 상황이 벌어지더라도 어떻게든 피해를 최소로 하면서 빨리 일상으로 돌아갈 수 있는 '기회'이기도 하다는 뜻이다.

특정한 상황이 발생해 국가 또는 지역 사회 성원의 건강에 해로운 영향을 미칠 수 있는 상태를 '위기'라고 부른다면, 피해를 최소화하면서 위기를 수습하고 다시 안정을 찾을 기회를 파악해 현실에 적용하는 '위기 관리'는 보건 위기에서 더없이 중요하다. 보건 영역 자체가 다양한 분야에 밀접히 연관되는 만큼 보건 위기의 '관리'도 정책, 법, 사회, 의료, 방역, 언론, 정부, 외교 등 다양한 사회 영역에 걸쳐 수행돼야 한다.

보건 위기와 위기 소통

보건 위기가 현실화되면, 안정화를 시도할 구체적 기회를 파악해 현실에 적용하려는 위기 관리 활동이 거의 전 분야에 걸쳐 수행되기 시작한다. 보건 위기를 '관리'하거나 위기에 적극 대처한다는 말은 많은 영역에서 일관되고 합리적인 방법을 적용해야 한다는 뜻이다. 관리 또는 대처의 대상이 되는 주요 영역은 매우 다양하지만, 그중 독자적이고 보편적인 중요성을 지닌 분야로 커뮤니케이션, 곧 소통을 들 수 있다. 소통은 위기 소통, 위기 커뮤니케이션, 리스크 커뮤니케이션 등 조금씩 다르게 부를 수 있지만, 궁극적으로는 위기를 극복하고 최소화하기 위해 다양한 주체들이 수행하는 폭넓은 정보 교류를 가리킨다. 위기 소통의 대표적인 주체는 '정부'와 '일반 국민,' '언론 또는 미디어'를 꼽을 수 있다.

정부는 대통령과 총리를 포함한 중앙 행정부 차원 또는 일반적으로 '정부'로 불리는 공무 기관들을 아우르는데, 보건 위기 때는 특정 사안에 직접 관련된 부처와 특화된 공공 기관들을 가리킨다. 감염병 위기 경보 수준이 '주의' 이상이 되면 질병관리본부 산하에 설치되는 중앙방역대책본부 같은 태스크 포스형 조직도 당연히 포함된다. 구체적 양상은 다르겠지만, 보건 위기가 발생한 거의 모든 국가에서 사태를 파악하고 해결하는 과정에서 중요 정보를 다루는 결정적 주체는 정부다. 코로나19 사례를 보면 위기 소통에서 정부가 하는 구실은 크게 두 유형으로 나뉜다.

먼저 미국형이다. 전통적으로 행정부가 강력한 위상을 지니는 미국에서는 대통령이 정보 전달 과정에서 핵심 스피커가 됐다. 보건과 의료 영역에 문외한인 트럼프 대통령이 국민과 언론 대상 브리핑에서 거의 예외 없이 소통 주체가 됐다. 보건 전문가와 관련 부처 책임자가 함께 등장하기는 했지만, 언제나 핵심 발화자는 과거 사업가이자 현재 행정가인 트럼프였다. 트럼프 대통령의 개인 성향에 큰 영향을 받은 이런 소통 방식은 감염병 위기에서 부정적 결과를 낳고 있다. 행정부 수장이 주도하는 소통 상황에서 건강과 의료, 보건, 방역, 과학적 근거 등이 얼마나 우선순위를 차지할 수 있었을지 회의하는 시각도 엄존한다.

다음은 한국형이다. 똑같이 고위 당국자가 등장하지만, 한국 정부의 대국민 또는 대언론 소통은 상당히 달랐다. 대통령과 총리 등 국정 최고 책임자나 행정가가 수행한 소통도 적지 않았지만, 코로나19가 시작되고 결정적인 추이가 바뀌는 시점마다 감염병 전문가가 소통의 선두에 있었다. 질병관리본부의 책임자이자 코로나19 위기가 시작되면서 발족한 중앙방역대책본부의 장인 정은경 본부장은 의학 박사이며 역학 전문가로, 메르스 사태 때도 방역을 주도했다. 정 본부장하고 호흡을 맞춰 정례 브리핑을 한 사람들도 행정가'만은' 아니었다. 권준욱 중앙방역대책본부 부본부장은 국립보건연구원 원장이며, 의학을 전공한 보건학 박사다. '중앙재난안전대책본부 제1총괄조정관'인 김강립 조정관은 보건복지부 차관이고 보건학을 전공했다. 보건 위기 때 아주 중요할 수밖에 없는 정부의 소통 현장에 가장 자주 등장한 인물들이 위기 특성에 최적화된 특급 전문가였다. 이미 《월스트리트 저널Wall Street Journal》 등 주요 해외 언론을 통해 알려졌지만, 서구에서는 가장 중요한 소통 창구가 정은경 본부장을 비롯한 전문가인 점을 전하면서 '케이K 방역'을 가능하게 한 핵심 변수

그림 1

THE WALL STREET JOURNAL.

English Edition ▾ | July 6, 2020 | Print Edition | Video | Latest Headlines

THE CAPTAIN CLASS

Thank God for Calm, Competent Deputies

The real heroes when the threat gets dire are the ones standing to the side of the lectern

By Sam Walker
April 4, 2020 12:00 am ET

PRINT AA TEXT

The tidy wool blazer she wore to her first briefing on Jan. 20 was long gone, replaced by a low-maintenance medical jacket. She'd clearly stopped tending to her hair, which grew increasingly unruly and noticeably greyer. News reports said she rarely slept and refused to leave the office.

By the middle of February, it was painfully obvious that Jung Eun-kyeong, the director of South Korea's Centers for Disease Control and Prevention, had put her commitment to

로 소개했다(**그림 1**).

위기 소통의 또 다른 주체는 '일반 국민' 또는 '대중'으로 표현되는, 추상적이지만 절대 다수를 차지하는 우리들이다. 국가, 행정부, 전문 공무원이 생산하는 정보의 1차 전달 대상인 동시에 소통 활동에서 핵심 주체로 활동하는 등 폭넓은 다양성을 지닌 그룹이다. 일반 국민은 보건 위기 관련 정보의 유통 또는 소통에서 중요한 당사자이지만, 소통의 객체로서 관련 정보를 수용하는 구실을 하는 경우가 많다. 대국민 소통과 국민의 자발적 행동은 보건 위기를 극복하는 과정에서 아주 중요할 수밖에 없다. 특정 시설이나 장소가 아니라 지역 감염 등 확산 범위가 넓은 코로나19 사태에서는 소통의 주요 대상인 국민의 적극적인 협력이 방역의 필요조건이자 핵심이 되기 때문이다.

메르스 시기에도 우리 사회는 상당한 공포를 경험했고, 국민을 대상으로 하는 소통 활동도 많이 진행됐다. 그렇지만 코로나19 상황에서 논의되고 실행되는 수준의 대국민 소통은 진행되지 않았고, 소통은 방역에서 부차적 요소로 받아들여졌다. 병원 등 의료 시설을 중심으로 감염자가 발생한 메르스는 일반인의 접근을 빠르게 차단하고 적절한 조치를 취하면 병원 밖 집단 감염을 막을 수 있었다. 사회 전반에 형성된 공포는 실제로, 또는 감정적으로 결코 낮지 않은 치사율 등에 따른 결과였으며, 일반인이 특정한 행동을 장기간 철저하게 준수해야 할 필요도 크지 않았다. 코로나19 위기에서 대국민 소통의 전형으로 받아들여진 보건 당국의 정기 브리핑 또한 메르스 때 보이던 풍경은 아니다.

정부와 국민에 이은 또 하나의 소통 주체는 바로 '언론'이다. 정부와 국민 사이를 잇는 대표적인 매개 구실을 하며, 어쩌면 소통 활동에서 가장 넓은 영역을 차지하기 때문이다. 소통 수단이라는 뜻으로 널리 쓰이는 '미디어'와 '언론'은 섞여서 사용되지만, 여기에서는 보도가 주된 기능이라는 뜻에서 '언론'을 쓰려 한다. 보건 위기 소통, 곧 현대 사회에서 필연적으로 발생하는 위기 때 수행되는 커뮤니케이션에서 핵심 구실을 담당하는 주체가 언론이라는 '팩트'는 부정하기 어렵다. 위기가 닥치면 대부분의 사회 성원은 여러 언론이 생산하는 보도와 관련 콘텐츠를 평소보다 더 자주 소비한다고 알려져 있기 때문이다. 보건 위기는 대중이 정보에 민감해지고 자기 자신과 가족 등 1차적 인간관계에 속한 사람들의 안위를 심각하게 걱정하는 특별한 시기다. 따라서 필요하다고 판단되는 정보량도 빠르게 늘어난다. 개인이 보건 위기 속에서 어떤 행동을 해야 하는지, 일반 국민으로서 어떤 행동을 해야만 자기 자신과 가족의 건강을 지키면서 다른 사회 성원의 건강에도 도움을 줄지에 관한 준거도 언론이 제공할 가능성이 높아진다는 뜻이다.

그렇다면, 어쩔 수 없이, 우리는 언론의 책임과 기능에 관해 이야기해야만 한다. 보건 위기 때 언론이 생산하는 콘텐츠는 '위기 관리'라는 큰 틀에서 피해 최소화와 안정이라는 목표를 달성하는 데 기여할 수도 있지만, 거꾸로 피해를 증폭시키거나 사태 안정에 부정적인 영향을 끼칠 수도 있기 때문이다. 언론이 대중에게 큰 영향력을 미치지만 궁극적으로 영리를 추구하는 기업이라는 점을 인정한다면, 어느 정도까지 공공성과 공익적 가치를 부여할 수 있는지도 솔직하게 논의해야 한다. 소통에서 차지하는 지분이 너무 크다는 뜻이다.

미디어 팬데믹 — 주요 기사 사례로 본 언론과 보건 위기

보건 위기 때는 언론의 영향력이 특히 증폭된다. 대중이 개인과 가족의 건강과 기본적인 안위 등에 많은 관심을 기울이면서 언론은 더욱 강한 영향력을 발휘한다. 위기가 찾아오면서 '불안'이 일상화된 대중은 언론이 제공하는 최신 정보를 필사적으로 추구하며, 시시각각 변화하는 상황을 파악하기 위해 공격적인 노력도 한다. 위기 관리와 소통에서 가장 중요한 영역의 하나는 대중의 공포 수준을 알맞은 수준으로 유지하는 문제인 만큼 언론의 기능은 어느 때보다 공공의 목적에 수렴돼야 한다. 언론은 소통의 양과 방법에 따라 필요 이상의 공포를 부추길 수도 있고, 반대로 위험을 간과하게 해 방역을 방해할 수도 있기 때문이다.

대중과 사회가 언론에 바라는 가장 이상적인 기능은 심리적 방역이다. 심리적 방역은, 보건 위기 소통에서 언론이 차지하는 위상과 영향력, 공공성 등에 밀접히 연관된다. 언론이 적절하고 책임 있게 보도하면 대중은 사태 안정과 개인 차원의 방역에 필수적인 정보를 접한 뒤 행동에 적절히 반영하리라고 예측된다. 대중이 사회의 전체적인 안정에 직간접으로 기여할 수 있는 중요한 변수를 만든다는 뜻이다. 그렇지만 심리적 방역에 부족한 감수성을 지닌 채 쏟아지는 기사는 지나친 공포나 안이한 현실 인식을 가져와 사회적 차원의 문제 해결에 기여하지 못할 수도 있다.

무리한 일반화는 경계해야 하지만, 코로나19에 관련된 언론 보도는 심리적 방역에서 거리가 먼 사례도 많았다. 자극적 헤드라인, 아니면 말고 식 가짜 뉴스, 의혹 전달에 치우친 기사, 거시적 관점을 빼고 흥미만 노린 가십성 기사, 지엽적이고 본질적이지 않은 사안에 집중하는 기사 등 유형은 다양했다. 그중 기자와 관련 전문가들이 마련한 〈감염병 보도 준칙〉(2012)과 〈재난 보도 준칙〉(2014)의 핵심 항목을 진지하게 고려하지 않은 기사들을 모아 분석해 5가지 유형을 추출했다. 2020년 1월 20일 첫 확진자가 나온 이래 6월 1일 현재까지 코로나 관련 기사가 수십만 건이 검색될 만큼 방대해 모든 기사를 대상으로 삼는 내용 분석content analysis은 현실적으로 불가능했다. 따라

그림 2

[단독] '韓 입국금지' 속출…공항서 바로 격리하는 나라 어디

[중앙일보] 입력 2020.02.21 14:25 수정 2020.02.21 17:41

가 가

최승표 기자

한국에서 코로나19가 급격히 번지자 한국인의 입국을 제한하는 나라가 늘고 있다. 중앙아시아 카자흐스탄의 경우, 한국인 입국자는 2주간 매일 의료진의 점검을 받아야 한다. 사진은 카자흐스탄 알마티에 있는 국립아카데미 고려극장. [연합뉴스]

코로나19가 급격히 번지면서 한국인 입국을 제한하는 국가가 늘고 있다. 전 세계가 중국인이나 중국 입출국 이력이 있는 여행자에 한해서만 입국을 제한하다가 한국을 포함한 주변국까지 코로나19 다발국가로 포함하면서다. 해당 국가 여행을 계획했다면 각별한 주의가 필요하다.

서 개별 사례는 언론 보도를 주제로 하는 내용 분석과 설문 조사 연구를 수행한 경험을 바탕으로 분석한 결과라는 점을 미리 밝힌다.

첫째, '프레이밍framing의 적용' 유형이다. 프레이밍이란 사진을 찍는 구도에 따라 피사체가 다르게 해석되듯 어떤 사안에 관련해서 언론이 제시하는 틀에 맞춰 해석하는 관행이다. 개별 언론사는 전통적으로 추구하는 가치 또는 정치적 견해에 따라 특정한 사안을 재단해서 대중에게 전파한다. 대표 사례는 〈'韓 입국금지' 속출…공항서 바로 격리하는 나라 어디〉(《중앙일보》 2020년 2월 21일)라는 '단독' 기사다(**그림 2**). 코로나19가 중국을 넘어 한국에 확산되면서 몇몇 국가가 한국인 또는 한국 국적기를 대상으로 입국 금지 조치를 내리고 있다

는 기사였다. 입력 시간은 2월 21일 14시 25분이었다. 물론 그 뒤 입국 거부 국가는 지속적으로 증가했고, 지금도 여전히 일본을 포함한 여러 국가가 한국 국민의 입국을 제한하고 있다. 이 기사가 생산되고 대중에게 전파되던 그때, 입국 제한을 결정한 국가는 몇 곳일까? '속출'이라는 단어는 '잇따라 발생함' 정도로 해석된다. 어느 정도를 가리켜야 한다는 규정은 없지만, 상식적으로 '상당한 수준의 빈도'를 암시하는 단어다. 기사에 따르면 입국 금지 국가는 '4개국'이었다. '속출'과 '4'라는 숫자 사이의 연관성을 판단하는 일은 대중의 몫이겠지만, 투르크메니스탄, 카자흐스탄, 사모아, 키리바시 등 4개국의 면면을 봐도 헤드라인에서 느껴지는 위압감하고는 거리가 멀었다. 한국 국민이 많이 입국하는 국가라고 보기는 힘들다. 특정한 팩트에 언론사가 지향하는 가치를 기술적으로 얹은 사례였다.

둘째, '지나친 정보TMI' 또는 '사태 해결을 위한 우선순위 무시' 유형이다. 감염병 위기 사태를 해결하는 데 필요한 핵심을 비껴가거나, 급박한 상황에서 대중이 주요 정보원인 언론을 통해 파악해야 할 정보로 보기에는 무리가 따르는 기사다. 대표 사례로 '우한 탈출기'(〈지도에도 없는 샛길로 우한 탈출… 우리 차 뒤로 수십대가 따라왔다〉, 《조선일보》 2020년 1월 28일)를 골랐다(**그림 3**). 사실 이 보도는 다른 언론사 기자들이 먼저 비판했다. 소셜 미디어에 한마디 하는 정도가 아니라 아예 기사까지 따로 작성했다(〈중국 방역체계 우회한 기자…'우한 탈출기' 칼럼 논란〉, 《YTN》 2020년 1월 29일). 이 기사는 이런 '문제성 기사'로 무엇을 알리고 싶으냐고 의문을 던졌다(**그림 4**). 언론 보도가 공익적 가치에 부합해야 한

그림 3

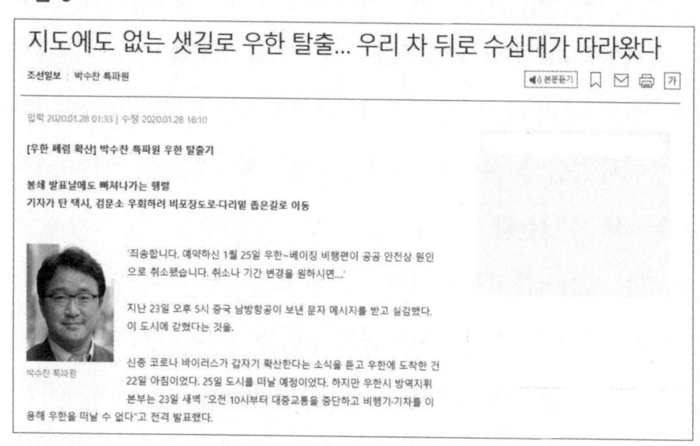

지도에도 없는 샛길로 우한 탈출... 우리 차 뒤로 수십대가 따라왔다

조선일보 | 박수찬 특파원

입력 2020.01.28 01:33 | 수정 2020.01.28 16:10

[우한 폐렴 확산] 박수찬 특파원 우한 탈출기

봉쇄 발표날에도 빠져나가는 행렬
기자가 탄 택시, 검문소 우회하려 비포장도로·다리밑 좁은길로 이동

박수찬 특파원

'죄송합니다. 예약하신 1월 25일 우한~베이징 비행편이 공공 안전상 원인으로 취소됐습니다. 취소나 기간 변경을 원하시면...'

지난 23일 오후 5시 중국 남방항공이 보낸 문자 메시지를 받고 실감했다. 이 도시에 갇혔다는 것을.

신종 코로나 바이러스가 갑자기 확산한다는 소식을 듣고 우한에 도착한 건 22일 아침이었다. 25일 도시를 떠날 예정이었다. 하지만 우한시 방역지휘본부는 23일 새벽 "오전 10시부터 대중교통을 중단하고 비행기·기차를 이용해 우한을 떠날 수 없다"고 전격 발표했다.

그림 4

YTN 분야별 뉴스 와플뉴스 YTN Star 프로그램 레저 제보

뉴스 홈 > 사회

중국 방역체계 우회한 기자...'우한 탈출기' 칼럼 논란

Posted : 2020-01-29 08:17

우한 폐쇄 검문소 우회 샛길로 나온 조선일보 기자, 문제성 기사

다고 할 때 '우한 탈출기'는 결여된 사항이 너무 많다는 점을 매우 직설적으로 지적했다. 기사에 포함된 팩트를 의심할 이유야 없겠지만, 기사 내용이 대중에게 어떤 가치를 전달하는지, 전대미문의 위기 상황에서 불안에 떠는 대중에게 중요성도 떨어지는 기사가 아닌지 하는 의문은 남는다. 기사를 읽은 사람이 느낄 수 있는 공포와 중국에 관한 부정적인 감정은 사태 해결에 도움이 되지 않는다. 위기 소통, 위기 관리의 핵심이 대중의 공포 수준을 적절히 유지시켜 방역의 주체로서 효과적으로 행동하게 이끄는 데 있다는 점을 다시 새기면, 이 기사를 긍정적으로 평가하기 어렵다. 개인의 건강이 위협받는 상황에서 극단적 공포를 경험한 기자의 사적 경험을 공유하는 기사는 어떤 가치가 있고, 심리적 방역에 어떤 구실을 했을까.

셋째, '어뷰징', '어그로' 또는 '클릭 만능' 유형이다. 깊이 있는 내용이 부족한 상태에서 독자의 호기심을 가장 크게 고려한 결과다. 부정확한 정보의 홍수는 팬데믹보다 더 무섭다. 평소에도 인포데믹이나 가짜 뉴스는 분열과 낭비, 혼란을 가져오는 요소라는 지적이 많았지만, 보건 위기 국면에서는 더욱 치명적인 결과로 이어질 수 있기 때문이다. 클릭을 유일한 목적으로 삼는 유사 또는 사이비 언론이 가장 비판받아야 하지만, 주류 언론도 '정보원'의 신뢰성을 고려하지 않은 채 가짜 뉴스일 가능성이 큰 정보를 그대로 퍼다 나르는 '낚시 기사'를 많이 찍어낸다. '정보 소비자'로 불릴 만큼 수준 높은 요즘 독자도 그다지 이성적으로 안 보이지만 주류 언론에 실리는 정보라면 어느 정도 신뢰할 가능성이 높다. 대표 사례를 보면 과학적

그림 5

"우한폐렴, 중국의 신종 생물학 무기"...음모론 확산

우한 남쪽 32km에 4급 생물안전기준(BSL-4) 연구소 존재...WT "중국 생물학 무기 시설"

전경웅 기자 입력 2020-01-26 16:15 | 수정 2020-01-26 16:16

中, 서방 공격하려 만든 무기로 자폭한 건가

▲ 우한 시내의 현재 모습이라고 알려진 유튜브 영상. 길가던 사람이 픽픽 쓰러지지만 누구도 손을 못 쓴다. ©유튜브 영상-데일리메일 제공.

우한폐렴의 근원지가 중국 정부가 3년 전에 만든 바이러스 연구소라는 주장이 영국 대중매체를 중심으로 퍼지고 있다. 이를 무시하던 세계 언론들은 자유아시아방송(RFA)에서 관련 보도가 나오자 관심을 기울이기 시작했다.

팩트 체크를 거치지 않은 듯 보이는 가짜 뉴스가 주요 미디어를 통해 유통된다는 사실을 알 수 있다(〈"우한폐렴, 중국의 신종 생물학 무기"…음모론 확산〉, 《뉴데일리》 2020년 1월 26일)(**그림 5**). 내용의 진위는 제쳐두더라도 전달 주체는 신뢰하기 때문에 '믿을 수도' 있는 수준까지 나아가게 된다. 몇몇 언론이 무책임하게 다룬 난감한 정보들은 바로 그 보도를 근거로 또 다른 레거시 미디어legacy media를 거쳐 본격적으로 전파된다. 이런 과정이 반복되면서 '인포데믹infodemic'의 중요한 토양이 마련된다. 〈감염병 보도 준칙〉(2012)을 포함해 언론이 스스로 정한 감염병 관련 준칙에는 예외 없이 이런 사안이 들어가 있다.

넷째, '소극적 정보 확인' 유형이다. 보건 위기 상황에서는 때로는 상충하는 정보를 담은 기사가 쏟아질 수밖에 없고, 내용을 완벽히 확인하기도 쉽지 않다. 그렇지만 '공격적 사실 확인'을 강조하고 싶다. 대중이 언론 보도에 거의 전적으로 의존하게 되는 심각한 보건 위기일수록 명확한 내용과 오류 검증이 중요하기 때문이다.

확진자 동선 관련 시스템이 온전히 마련되지 않은 코로나19 초기 때는 정부 브리핑이 중요한 정보원이었다. 생중계 브리핑을 볼 수 없는 대부분의 대중은 브리핑에서 생산된 정보를 정리해서 전달하는 언론을 핵심 정보원으로 활용했다. 그런데 2월 2일 중앙방역대책본부가 발표한 5번 확진자 동선에는 사소하지만 중요한 오류가 있었다. 확진자의 카드 사용 내역을 바탕으로 파악된 동선에는 성북구에 자리한 '럭키마트'라는 업장이 들어 있었지만, 확진자가 다녀간 곳은 이름이 비슷한 '럭키후레쉬마트'였다. 성북구에 있는 다른 '럭키마트'들도 갑자기 손님의 발길이 끊기는 피해를 입었다. 같은 확진자가 다녀간 중랑구의 '이가네바지락칼국수'도 이름이 같은 업장이 있어 혼란과 피해가 발생했다. 잘못된 정보 때문에 여러 자영업자가 피해를 입었다. 지금껏 경험하지 못한 공포와 불확실에 휩싸인 대중은 비슷한 이름만 보여도 아예 들어가지 않았다. 방역 작업이 끝나도 마찬가지였다. '우리는 그곳이 아닙니다!'라는 안내문이 종일 보

그림 6

질본, 본지지적에 '사과'...5번확진자 동선 수정발표

기사입력 2020-02-04 15:38

질병관리본부가 환자 동선을 잘못 발표 한 것으로 확인됐다. 때문에 당초 발표된 상호의 가게는 업무에 차질이 생기고 있다. 사진은 질본이 5번 확진자가 다녀갔다고 잘못 발표한 서울 성북구 럭키마트. 질본은 "같은 구(區)의 럭키후레쉬마트를 럭키마트로 잘못 발표했다"고 인정했다. 질본이 발표한 럭키마트는 성북구에만 3곳이 있다. 신주희 수습기자/joohee@heraldcorp.com

도됐다. 질병관리본부 위기소통 담당관이 오류를 인정하고 사과한 뒤 향후 조치 등을 꼼꼼하게 설명하는 모습도 여러 차례 노출됐다.

이런 '해프닝'에 언론의 책임 또는 지분은 없을까? '○○마트'와 '○○○칼국수집'처럼 웬만한 동네에 몇 개씩 있을 만한 상호명이 발표될 때 좀더 적극적으로 물어볼 수 없었을까? 커다란 혼란과 파장을 일으킬 수 있는 사안인 만큼 정보를 파악하고 확인하는 훈련을 받은 기자들이 '공격적 사실 확인'을 하면 상황은 달라질 수 있었다. 물론 발 빠르게 사후적인 사실 확인을 한 언론도 있었다(《질본, 본지지

그림 7

KBS 1
KBS
NEWS

그림 8

뉴스특보
유증상자 7명 병원 이송
YTN
11시 25분쯤 충남 아산 경찰인재개발원에 도착

그림 9

우한 교민이 올린 격리시설 내부
jtbc
1인 1실 약 6평
샤워·손빨래 가능

적에 '사과'…5번확진자 동선 수정발표〉, 《헤럴드경제》 2020년 2월 4일)(**그림 6**).

다섯째, '싸움 구경 저널리즘' 또는 '추적 저널리즘' 유형이다. 상황만 전달하는 선정적인 보도 관행인 '경마 저널리즘'을 넘어선, 코로나19 국면에서 목격된 보도 관행에 붙인 이름이다. 공공적 가치와 의미 등을 생산하는 보도를 하지 않고, '○번 마 앞서 갑니다. ○번 마가 다시 따라잡습니다!' 식으로 사안 자체를 말초적으로 전달한다. 대중도 여기에 길들여지게 되면 이런 관행은 일반화되고, 언론이 선정성에 몰입하면서 개별 사안의 의미를 깊이 있게 다루는 기사는 사라진다. 대표 사례는 코로나19 초기 바이러스 발원지인 우한 등에서 입국한 교민이 시설에 수용되는 과정을 다룬 기사들이다. 지역사회 감염보다는 우한을 비롯한 민감 지역에서 전세기를 타고 입국하는 교민들을 통한 해외발 전파 가능성을 두려워하던 때였다. 교민 수용을 둘러싼 찬반이 갈등과 반목을 불러왔다. 갈등과 충돌이 벌어지는 장소에는 어김없이 많은 언론이 몰려들어 현장 중계를 했고, 감염병 위기는 곧바로 정치, 사회, 지역 갈등에 빠르게 연계됐다. 우여곡절 끝에 귀국이 결정되고, 삼엄한 방역 조치를 거친 교민들은 아산과 진천에 수용됐다. 입소 과정은 말 그대로 생방송 수준의 추적 저널리즘을 보여준다(**그림 7**).

거의 모든 언론사가 취재진을 급파해서 망원 렌즈 등을 동원해 '그림'을 만든다. 격리 시설에 들어가 생활하기 시작한 교민들의 삶을 '엿보는' 보도도 자주 나왔다(**그림 8**). 영상을 흐릿하게 처리하는 등 개인 정보를 보호하려 노력한다지만, 기사에 달린 댓글에는 지나친 취재 열기를 비판하는 부정적 반응도 많았다('해도 너무한다', '저렇게 까지 촬영을…'). 몇몇 언론은 격리 시설 내부에서 벌어진 매우 개인적이거나 심지어 명확하게 확인되지 않은 일도 기사로 작성했다. 평면도까지 그려가며 시설 내부 구조를 보도하기도 했다(**그림 9**). 힘들게 귀국해서 극도의 불안감에 맞서 외롭게 싸우는 평범한 교민들을 집요하게 경쟁하며 취재해야 하는 공익적 보도 가치가 무엇인지 의문을 던질 수밖에 없었다. 두꺼운 방역복을 입은 채 안전과 방역을 챙기는 의료진 등을 근접 촬영하기도 했다. 취재진의 안전 또한 위험에 빠질 수 있는 비정상적인 취재 관행이었다. 기자들이 합의한 준칙에는 '일선 취재 기자의 안전'이 매우 중요한 항목으로 명시돼 있다.

더 심각한 사례도 있었다. 아산과 진천에 교민이 들어가던 바로 그때, 한 언론은 야산 바로 아래 자리하는 격리 시설 뒤편에서 산 쪽으로 난 울타리에 '구멍'이 있다고 보도했다. 시설에 들어간 교민이 산으로 '도주'할지 모른다고 '염려'하는 말처럼 비쳤다. 기자가 교민을 '수용'이 아니라 '감금'의 대상으로 오해한 건가 하고 '염려'할 수밖에 없었다. 격리 시설에 수용된 교민은 '도주의 염려가 있는 자'로서 감금되거나 구속된 사람이 아니라, 먼 타국에서 열심히 살아가다가 감염병을 피해 막 귀국한, 기자하고 똑같은 대한민국 국민이기 때문이다.

시민, 미디어 백신이 되다

감염병 위기가 발생하면 언론은 심리적 방역에 나서야 한다. 그렇지만 코로나19 사태에서 볼 수 있듯 표현의 자유라는 가치 아래 감염병 보도 준칙과 재난 보도 준칙을 위반하는 사례도 많다. 앞으로 감염병 위기가 더 자주 발생한다지만, 이런 신종 미디어 감염병은 분화된 언론 환경에서 이미 관행으로 자리잡은 탓에 사라지거나 개선되기도 어렵다.

지난 4월 28일, 한국기자협회, 방송기자협회, 한국과학기자협회가 공동으로 새로운 감염병 보도 준칙을 발표했다(〈'감염병 보도 이렇게 하라' 준칙 나왔다〉, 《미디어오늘》 2020년 4월 27일)(**그림 10**). 이전 감염병 보도 준칙에 견줘 신종 감염병에 연관된 항목이 더해졌고, 사례를 많이 넣는 등 전체 분량도 늘어났다. 현장 기자가 모인 단체들이 협업해 새로운 기준을 마련하고 원칙을 공유한 점이 가장 중요하다. 기자들과 데스크는 새로운 준칙을 진지하게 받아들이고 현실에 적용하려 노력해야 한다. 준칙에 어울리는 문화와 풍토를 확립할 구체적인 계획도 세워야 하고, 정기적인 교육도 필요하고, 원칙을 심각하게 어긴 기자를 제재할 방안도 논의해야 한다.

더불어, 이번 준칙에도 강하게 포함되지 못했지만, 개별 언론사의 정치적 성향에 근거해서 특정 사안을 프레이밍하는 관행에 어떻게 대응할지 한 사람의 독자로서 매우 궁금하다. 마치 '전쟁'에 견줄 만큼 급박한 보건 위기가 닥치는 상황에서, 언론사의 성향에 따라

그림 10

뉴스의 이면, 팩트 너머의 진실

'감염병 보도 이렇게 하라' 준칙 나왔다

한국기자협회·방송기자연합회·한국과학기자협회 공동제정, 언론재단 후원…피해야할 표현, 추측성 과장기사 지양 등 원칙 담아

장슬기 기자 wit@mediatoday.co.kr 승인 2020.04.27 11:54

한국기자협회(회장 김동훈)이 한국언론진흥재단(이사장 민병욱)의 후원을 받아 방송기자연합회(회장 성재호), 한국과학기자협회(회장 이영완)와 함께 '감염병보도준칙'을 제정했다.

감염병보도준칙은 전문과 기본원칙, 권고사항, 별침, 부칙으로 구성했다. 코로나19 관련 기사에서 공포를 조장하거나 불필요한 개인정보를 담는 등의 지적이 나오자 재난보도와 구분되는 준칙을 만든 것이다.

[관련기사 : 이런 코로나 기사는 'TMI']

전문에선 "추측성 기사나 과장된 기사는 국민들에게 혼란을 야기한다는 점을 명심하고 감염병을 퇴치하고 피해 확산을 막는데 우리 언론인도 다 함께 노력한다"며 "감염병 관련 기사를 작성할 때는 반드시 전문가의 자문을 구한 뒤 작성하도록 하고, 과도한 보도 경쟁으로 피해자들의 사생활이 침해되지 않도록 최대한 노력한다"며 준칙 제정의 목적과 다짐을 담았다.

기본원칙은 7개로 구성했는데 취재와 보도할 때 기자들이 지켜야 할 기준을 담았고, 며 권고사항에선 기자들 사전 교육의 필요성을 언급했고, 보건 당국의 특별대책반에 언론인을 포함할 것을 권고했다.

팩트가 왜곡되거나, 변질되거나, 축소되거나, 과장되는 모습을, 언론의 이념적 양극화와 여기에서 비롯되는 갈등을 보는 일은 매우 괴롭다. 언론 보도가 개인의 건강과 생명에 직결되는 상황에서 언론이 만들어내는 정쟁이야말로 사회적 낭비이기 때문이다.

감염병 위기 때 언론과 미디어가 해야 하는 이상적 기능이 심리적 방역이라고 할 때, 심리적 방역이 제대로 효과를 얻으려면 대중의 구실도 결코 간과할 수 없다. 어쩌면 더욱 중요하다. 언론이 자정 노력을 하려면 정보 소비자의 적극적 비판이 반드시 전제돼야 하기 때문이다. '방역'은 방역을 맡는 주체만 노력한다고 해서 성과를 얻을 수 없듯이 말이다.

나를 포함한 대중에게 주문하고 싶은 개념이 바로 정보 소비자의 정보 문해력, 곧 미디어 리터러시다. 미디어가 전하는 정보를 무비판 적으로, 또는 개인이 지닌 선입견에 따라 믿고 싶은 대로 수용하지 않고, 보도를 둘러싼 다양한 변수를 고려하면서 이해하는 능력과 습관을 훈련해야 한다.

미디어 리터러시는 또한 개별 언론이 제공하는 콘텐츠는 물론 언론 전반에 관한 거시적이고 미시적인 이해의 수준을 뜻하기도 한다. 거시적 이해는 미디어 산업과 생태계에 관한 전반적 파악을 뜻하며, 미디어가 품어야 하는 기본적 기조와 공익적 가치, 영리적 욕구 등을 정확히 이해할 수 있는 토대다. 이를테면 지상파와 케이블, 종편 채널, 온라인, 에스엔에스SNS 등 미디어 환경을 대표하는 특성을 구체적으로 이해하는 과정에서 개인의 미디어 리터러시 수준은 더욱 풍성해진다. 또한 진보와 보수로 나뉜 미디어 환경을 역사적이고 현대적으로 이해하는 일도 중요하다.

미시적 이해는 개별 미디어가 생산하고 유통하는 콘텐츠를 지속적으로 파악하고 심층적으로 관심을 가지는 수준을 말한다. 정보 소비자가 미디어 전반에 관한 이해를 바탕으로 파악하는 특정 유형의 콘텐츠들은 의미와 가치 측면에서 개인에게 더욱 명확하게 다가올 수 있다. 개별 미디어를 둘러싼 다양한 현실을 이해하는 문제 또한 중요하다. 대부분의 미디어 주체에게 영리 추구는 아주 중요하며, 광고나 협찬에서 자유롭지 못한 현실도 고려해야 한다. 개별 미디어 콘텐츠가 생산하는 내용이 왜 그토록 선정적인지, 같은 사안을 두고 언론사마다 헤드라인을 왜 다르게 뽑는지 등을 파악할 수 있기 때문이다.

이런 문제들을 관찰하고 고민하면서 미디어 리터러시 수준은 높아진다. 문해력은 궁극적으로 미디어가 생산하는 개별 콘텐츠의 '행간을 읽는' 비판적 수용자가 될 수 있는 기회를 준다. 미디어 리터러시로 무장한 수용자는 개별 콘텐츠가 활용하는 프레이밍, 그리고 말초적이거나 상업적인, 또는 상황을 왜곡하거나 축소하거나 과장하는 꼼수를 알아채고 분별 있게 받아들일 수 있다. 당연하게도, 이런 독자 또는 시청자가 보편적이 되면 몇몇 미디어가 관행처럼 활용하는 비합리적 저널리즘 행태는 원천적으로 차단될 가능성이 높아진다.

미디어가 양적으로 늘어나고 일상에서 분리하기가 힘들 만큼 방대해진 지금의 매체 환경은 선택의 여지가 없어 보인다. 양적 증가는 필연적으로 미디어의 영향력을 높이게 되고, 사회 성원 전체 차원에서도 미디어 의존은 지속적으로 강화될 듯하다. 양적 팽창은 반드시 경쟁을 불러오고, 클릭 수가 경제적 이익으로 이어지는 시스템이 유지되는 한 수용자의 선택을 받으려는 출혈 경쟁 또한 바뀌지 않을 가능성이 높다.

보건 위기 국면에서는 이런 상황이 더 극심해질 수밖에 없다. 미디어 리터러시를 진지하게 논의하고 실천하는 일이야말로, 우리를 둘러싼 미디어 환경에서 스스로 휘둘리지 않을 수 있는 최소한의 준비다. 정보 소비자들의 변화는 결국 미디어 전체의 질서도 변화시키는 작지만 중요한 변수로 작용하게 된다. 정보 소비자들이 바라고, 정보 소비자들이 반응하고 열광하는 화법과 문법이 바뀌는 상황에서, 어떻게 미디어가 낡은 방식과 철 지난 관행만 고집하겠는가?

더 읽을거리

유현재, 〈코로나19 변곡점, 언론의 '심리적 백신' 희망하며〉, 《더피알》 2020년 2월 26일(http://www.the-pr.co.kr/news/articleView.html?idxno=44252).

한국은 물론 세계 각국 시민들에게 공포감을 주고 있는 신종 감염병 코로나19가 본격적으로 유행하면서, 특정 사회 안의 소통에서 가장 중요한 주체 중 하나인 '언론'은 과연 어떤 기능을 하고 있고 어떤 구실을 해야 할지에 관련된 논점을 제기한다.

강미혜, 〈코로나19 새로운 국면, 지금 필요한 사회적 백신은…〉, 《더피알》 2020년 2월 20일(http://www.the-pr.co.kr/news/articleView.html?idxno=44226).

헬스 커뮤니케이션 분야를 다루는 대표 전문지 《더피알》에서 코로나19 발생 뒤 사회 각 영역이 어떤 위기 관리를 수행해야 하느냐를 주제로 보건학자와 소통 연구자, 관련 업계 대표가 의견을 나눴다. 위기를 극복하기 위해 보건 당국과 언론, 시민, 지자체 등이 해야 하는 일 등이 주로 논의됐다.

KBS, 〈저널리즘 토크쇼 J〉, '감염병을 대하는 언론의 기억상실 화법', 2020년 3월 15일(https://news.kbs.co.kr/news/view.do?ncd=4402302).

코로나19 관련 보도와 2015년 메르스 사태 때의 보도 사이의 평행 이론을 주제로, 감염병 보도 준칙과 재난 보도 준칙의 핵심적 항목을 위배하는 무작위적인 보도 사례부터 사회 의제 설정에서 언론이 해야 하는 필수적 기능에 관해 논의한다.

3부 연대

7장

멀티플 팬데믹 시대, 교육은 무엇을 해야 할까?

박순용

코로나19가 가져온 파장은 공중 보건에 관한 인식을 바꾸어놓은 수준을 넘어 전세계 사람들의 일상을 다양한 차원에서 뒤흔들었다. 유네스코UNESCO와 유니세프UNICEF에 따르면, 교육 분야의 경우 2020년 4월 11일을 기준으로 194개국에서 15억 7000만 명이 넘는 학교 등록 학생이 어떤 형태든 교육 중단을 경험했는데, 전세계 학령기 인구의 90.1퍼센트에 해당하는 수치다. 교육 중단은 전쟁, 내란, 천재지변 등으로 여러 지역에서 발생한 적이 있지만 전지구적 규모로 동시에 일어난 경우는 처음이다.

집단 감염병이 발생해 학습 공백을 피할 수 없는 장기간의 학교 폐쇄가 지속되면 교육 체계는 일시적 피해와 영구적 피해를 받을 수 있다(Kekić & Miladinović 2016). 일시적 피해는 회복에 시간이 걸릴 수 있는 학교급별 교육 과정의 파행을 포함하며, 영구적 피해는 일부 학습자가 집단 감염병 상황이 끝나더라도 학교를 포기할 수 있다는 사실을 포함한다. 얼마 전 오드리 아줄레Audrey Azoulay 유네스코 사무총장은 이렇게 경고했다. "코로나 바이러스 때문에 일어난 교육 파괴의 세계적 규모와 속도는 유례가 없으며, 장기화되면 교육권을 위협할 수 있습니다." 따라서 우리는 지구촌을 뒤흔든 위기 상황에 대응하는 교육의 현재와 미래를 조망하고, 세계 시민성과 교육을 화두로 새롭게 주어진 과제를 점검해야 한다.

포기와 기회 — '뉴 노멀'이 교육에 가져올 변화

어느 날부터 '뉴 노멀New Normal'이라는 말을 거의 매일 마주하면서 그 말에 담긴 의미를 곰곰이 생각해봤다. '새로운 정상'이라고 직역할 수 있는 단순한 단어 조합이지만, 이 말을 다시 두 단어로 요약하면 '포기'와 '기회'라고 할 수 있다. 당연시하던 삶의 방식이 무너지는 때 일상이 주는 편안함을 포기해야 한다면, 팬데믹에 대응하는 과정에서 과거의 질서나 위계 탓에 그동안 상상하거나 시도하지 못한 새로운 사회상을 만들 기회도 활짝 열릴 수도 있기 때문이다.

사회적 거리두기와 자발적 격리 기간이 며칠에서 몇 주가 되고 다시 몇 주에서 몇 달이 되는 동안에도 정보통신 기술은 지역 사회를 끊임없이 연결하는 버팀목이 되고 있다. 그동안 충분히 뿌리내리지 못하던 비대면 온라인 교육과 원격 재택근무의 확산이 팬데믹 때문에 '뉴 노멀'의 일상이 됐다. 특히 교육 분야에서는 교육 방식과 체제를 전면 재점검해야 할 필요성을 일깨웠다. 팬데믹 상황에서 각국이 채택한 교육 전략에 더해 학생들에게 심리적 위안을 제공하고 세심하게 지원할 필요성은 교육의 궁극적 지향점을 다시 생각하게 한다. 많은 나라에서 그동안 미루던 교육 개혁을 추진할 명분이 생겼다는 점은 불행 속에서 찾는 한 가닥 희망이다.

한국에서 코로나19가 교육에 미친 영향 중 가장 주목할 부분은 공고한 교육 질서가 흔들리면서 여러 가지 혁신적인 실험과 시도가 비주류에서 주류로 진입하는 상황이다. 각종 행정 규제 때문에 시도

조차 어렵던 교육 방식들이 이제는 며칠 만에 신속하게 도입되고 있다. 기존 체제의 경직된 절차와 형식이 외부 자극을 받아 과감하게 정리되는 '창조적 파괴'의 분명한 사례다. 해방 뒤 한국 교육은 19세기 근대 학교 제도의 기본틀에서 크게 벗어나지 않고 국가에서 정한 교육 과정에 따라 학생들에게 지식을 효율적으로 전달하고 주입하는 방식에 머물렀다. 심지어 6-3-3-4 학제는 한 번도 바뀐 적이 없다.

코로나19는 한국 교육 방식의 한계를 직시하게 했고, 대안적 교수법, 창의적 평가 방식 도입, 탄력적 학제 운용 같은 새롭게 고려해야 할 사안들을 부각시켰다. 이를테면 아이들이 학교에 정상 등교를 하지 못하는 동안 대부분의 가정은 본의 아니게 홈스쿨링home schooling을 하는 상황이 됐다. 일반 대학이 온라인 강의로 전환하는 과정에서 사이버 대학이 주목받은 사례처럼 홈스쿨러home schooler에게서 교육 개혁의 단서를 찾을 수도 있다.

정보통신 기술이 발달하고 확산되면서 홈스쿨러들이 흔히 겪는 단절과 고립이라는 부정적 요인도 해소할 수 있게 됐다. '언제 어디서나 동시에 존재한다'는 유비쿼터스 환경 덕분에 홈스쿨러들은 지역, 문화, 시간의 한계를 뛰어넘어 가상의 네트워크를 통해 새로운 관계를 형성할 수 있었다(최정재 2009). 학교 밖 홈스쿨러들은 온라인 공동체를 오프라인 공동체로 확장하면서 홈스쿨링 지원과 협력 모임 등을 통해 소속감과 심리적 안정감을 얻었다(김현숙·정희영 2020). 또한 '사회성 결여'라는 편견을 뒤엎고 홈스쿨러들의 사회성이 오히려 높다는 연구 결과도 나왔다(김선영 2009). 학교에 가야만 사회성이 발달한다는 선입견에 맞서 홈스쿨러들은 획일적 통제 중심인 학교 문화 속에서 오히려 제대로 된 사회성을 기르지 못한다는 반론을 제기한다. 아이들에게서 학습의 자유를 박탈하고 어른들이 고안한 지루하고 고통스러운 학습 형식에 얽매이게 하는 교육은 폭력적일 수 있다는 말이다. 그런데도 한국은 미국과 영국, 캐나다, 오스트레일리아 같은 서구권 국가들하고 다르게 홈스쿨링을 제도적으로 인정하지 않고 법률상 취학 의무 불이행으로 해석하고 있다.

이런 제도적 경직성은 교육 분야에서 창의적인 발전 가능성을 차단해왔는데, 이번 기회에 유연하고 탄력적인 방향에서 교육 수요자의 목소리를 반영한 새로운 시도들이 가능해질 수 있다. 또 한편 정보통신 기술을 좀더 폭넓게 활용해 내용적 지식content knowledge에 더불어 기술적 지식technological knowledge을 위한 커리큘럼을 재설계해야 할 필요성이 대두되는 추세다. 따라서 교육자의 전문성을 필수적으로 개발해야 한다. 또한 비대면 상황에서도 정서적인 지지자이자 인생의 조력자로서 교사가 필요하다. 학생들은 디지털 문해력digital literacy을 갖추고 인터넷 학습 능력을 극대화하는 과제를 부여받지만, 무엇보다 시간과 공간의 통제를 덜 받는 상황에서 자신에게 엄격한 자기주도 학습 태도를 갖추는 문제가 중요해진다. 결과적으로 팬데믹은 교육자들에게 낡은 교육 담론을 점검하고 새로운 교육적 지향점을 설정하는 과제를 던져준다. 익숙한 경계들이 무너지는 지금, 교육의 실행에 관련된 새로운 질문에서 출발하는 혁신적 시도들은 모든 사람에게 부담이 되지만 동시에 기회가 될 수도 있다.

코로나19 이전에도 교육의 패러다임은 서서히 바뀌고 있었다. 팬데믹 상황은 단지 변화해야 할 필요성을 더 많이 절감하게 하고 가속하는 구실을 했다. 마치 강물이 빠져야 강바닥이 드러나듯이 팬데믹 때문에 한국 교육 체제의 실상을 좀더 자세히 들여다볼 기회가 열렸다. 여기에 더해 21세기 교육에서 다뤄야 할 교육 콘텐츠, 교수학습법, 추구하는 핵심 역량 등이 어떻게 기술적으로 진보하고 어떤 지향점을 가져야 하는지를 진지하게 논의해야 한다.

지금 상황에서 특히 주목되는 흐름은 기술 진보 덕분에 교사와 학습자가 물리적 거리에 상관없이 온라인을 통해 방대한 학습 자료에 접근할 수 있는 새로운 통로가 만들어지고 있다는 사실이다. 이런 흐름은 교육공학 차원의 변화가 아니라 교육의 전반적 체질을 바꾸려는 의도된 노력으로 이어져야 한다. 교사들이 학교 건물이라는 물리적 공간 안에서 종이에 인쇄한 교재에 의존하는 시대는 가상 플랫폼에 통합되는 기술의 시대로 옮겨가고 있다. 교육에 적용되는 기술이 증가하면서 교사는 전통적인 지식 보급자disseminator에서 좀더 유연한 조력자supporter로, 더 나아가 촉진자facilitator, 멘토mentor, 동기 부여자로 바뀌고 있다. 또한 기술 진보와 기술 활용 덕분에 다양한 학습자의 요구를 충족하기 위한 시도를 할 수 있다. 원격 학습, 통신교육, 가상 학습, 혼합 학습, 모바일 학습, 머신 러닝, 유비쿼터스 학습, 딥 러닝, 협동 학습을 촉진하는 계기는 결국 기술 인프라다.

교육은 이미 디지털화되고 있으며, 교사와 학생을 포함한 교육 이해관계자들은 온라인 교육으로 전환하는 흐름 속에서 새로운 교육적 가치를 창출해야 하는 도전에 직면했다. 이를테면 주로 단순한 인지적 평가 중심인 교육 방식을 대면이나 비대면 상황의 참여 과정을 강조하는 학생 중심 교육으로 전환한다면, 학습 과정에서 교사와 학생, 또는 가르치는 주체와 배우는 객체라는 이분법적 경계를 누그러트릴 수 있다. 이런 흐름에서 교사의 역량은 지식을 얼마나 잘 전달하는지에 머물지 않고 협력을 얼마나 잘 이끌어내고 어떤 교육공학적 소양을 갖추고 있는지로 가늠된다. 코로나19로 야기된 언택트의 일상은 이런 일련의 변화 과정을 단축시키는 촉매가 된다.

코로나19로 덕분에 예견되는 교육의 또 다른 변화는 국어, 영어, 수학 등 인지 교과 과목들 못지않게 그동안 우선순위에서 밀려나 있던 위기 대응 교육이나 보건 교육 같은 생활 중심 실용 교과가 주목받는다는 점이다. 그동안 교육 체제가 머리에 든 것은 많지만 생활력이 떨어지는 헛똑똑이를 양산하지 않았는지 되돌아볼 필요가 있다. 코로나19 사태를 통해 보건, 위생, 사회적 위기 관리 등에 관한 지식을 제대로 활용할 수 있도록 차세대 양성 과정에는 반드시 관련 교과에 충분한 시간을 할애해야 한다는 사실을 절감하게 됐다. 실제로 교육부는 '2020년 학생건강증진 정책방향'에서 감염병 예방 교육 강화를 내세워 개인 위생 교육 강화, 교원과 교육(지원)청 감염병 업무 담당자 연수, 가정에 연계된 감염병 예방 관리 강화를 추진 방향으로 잡았다. 여태까지 보건 교육이 지식 전달과 정보 전달 중심으로 진행된데다가 실질적인 보건 수업 시수를 확보하기 어렵다는 비판을 받은 교육부는 집단 감염병 예방 관리를 위한 보건 교육과 다양한 위기 상황에 대처하기 위한 위기 대응 교육을 내실화해야 한다. 또한 어느 때보다도 '돌봄의 교육'이 필요하다. 교육자들은 교실이나 강의실에서 지식을 전수하는 수준을 넘어 학습자들이 팬데믹의 그늘 속에서 겪을 수 있는 어려움에 민감해야 한다. 질병의 공포와 불안을 해소해주며 실생활에서 겪는 어려움에 관심을 갖고 격려하는 돌봄의 교육은 위기 상황뿐 아니라 교육자로서 항상 필요한 마음가짐이기 때문이다.

그동안 학교는 다른 분야보다 사회 변화에 상대적으로 둔감하고 지체 현상이 가장 많이 나타나는 곳이었다. 그런데 새로운 상황은 학교가 변화를 주도하고 교육 변화가 사회 변화로 이어지는 긍정적인 선순환이 일어날 가능성 또한 가져다줬다. 우리는 새로운 상황에 새로운 질문을 던져야 한다. 낡은 프레임에 갇힌 발상은 새로운 질문에 답하지 못할 뿐 아니라 필요한 질문거리를 만들어내지 못한다. 시대가 요구하는 새로운 질문에 맞는 답을 구하는 과정이 곧 혁신 과정이다. 이런 혁신은 교육을 기초로 하는 집단 지성이 가동될 때 가능하다.

팬데믹이 드러낸 정보 격차

코로나19는 지구촌의 취약한 면모를 여러모로 드러나게 했다. 그중 정보 격차에 따른 불평등 심화가 뚜렷하게 부각됐다. 코로나19가 초래한 위기는 교육 분야의 팬데믹 상황에 대비하는 데 필요한 기술과 역량이 무엇인지를 일깨웠는데, 학습 환경에서 디지털 도구 사용 능력이 가장 중요한 요소로 대두됐다. 많은 나라에서 지역 사회 폐쇄와 사회적 거리두기를 통해 집단 감염 위기에 대응하면서 집에서 공부하고 일하게 된 학생과 교사도 온라인 학습 플랫폼의 필요성을 절감했다. 학교 폐쇄가 장기간 지속되는 동안 비대면 수업이 불가능하거나 원활하지 못한 곳에서는 학습 손실을 피할 수 없기 때문이었다.

그동안 온라인 플랫폼이 확산되면서 원격 교육, 모바일 교육, 이러닝 등이 서서히 자리를 잡아가고 있었지만, 여전히 교육 형식의 주류는 교실 또는 강의실 같은 공간에서 약속된 시간에 대면 형태로 진행하는 수업이나 강의다. 코로나19 때문에 맞이하게 된 새로운 국면은 이제 시공간 제약을 당연하게 받아들이는 교육 방식이 더는 유효하지 않을 수 있다는 점을 깨닫게 했다. 그동안 온라인 수업은 종종 '완전하지 못한' 또는 '보조적인' 요소로 여겨졌지만, 팬데믹이 야기한 언택트 상황은 이런 인식을 빠르게 바꾸는 계기가 됐다.

온라인 플랫폼을 잘 갖춘 한국은 비교적 빠른 속도로 온라인 수업으로 전환했지만 많은 국가가 여전히 어려움을 겪고 있으며, 이런 현실은 디지털 양극화에 더해 사회적 불평등으로 이어지고 있다. 신흥 기술을 수용하는 데 적극적인 교육 기관은 아직 기술을 수용하지 못하거나 주저하는 기관들에 견줘 눈에 띄게 유리한 위치에 있을 수밖에 없다.

온라인 교육이란 일반적으로 정보통신 기술과 운용 플랫폼을 통해 온라인에서 가르치고 배우는 전반적인 과정을 가리킨다. 온라인 교육은 원격 교육과 인터넷을 통한 강의, 가상 강의실 세션, 기타 교육 자료와 활동의 효율적이고 신뢰할 수 있는 전달을 촉진하는 디지털 기술의 출현에 뿌리를 두고 있다. 정보통신 기술이 발전하면서 온라인 교육이 가진 가능성에 관한 기대 또한 커졌다. 교육에서 기술은 교육자가 직접 교육 교재를 구상하고, 제작하고, 출판하고, 분석에 쓸 도표와 통계를 만들고, 심지어 가상 현실을 사용해 학생들에게 개념이나 아이디어를 실시간으로 이해할 수 있는 소중한 배움의 순간들을 가져다준다. 사각형의 닫힌 물리적 공간에서 진행되는 학습이 열린 비정형의 사이버 공간으로 옮겨갈 때 교수자와 학생이 모두 좀더 다양한 정보를 공유할 수 있고, 학습 주체들 사이의 협업, 교수자의 즉각적인 피드백 제공, 포럼과 온라인 채팅 등을 통한 집단 학습 등이 가능해진다. 또한 동기화된 온라인 학습 경험은 여러 지역에서 동시에 일어날 수도 있다.

실제로 정보통신 기술이 출현하고 교육 분야에 적극 수용되면서 질적으로 우수한 교육이 폭넓게 적용될 가능성을 높였다. 교육과 정보통신 기술의 접목은 온라인 교육이 발달하면서 역기능보다 순기능이 많다는 사실이 지속적으로 확인됐으며, 실제로 학생-교사 상호 작용과 사람들 사이의 연결성을 향상시켰다(Altmann 2019; Castle & McGuire 2010; Muirhead 2000). 특히 교수 학습 경험, 콘텐츠 개발, 수업 공유, 평가와 피드백을 손쉽게 한다. 학습자들은 대부분 새로운 정보를 재구성할 수 있는 잠재력을 지니고 있으며, 새로운 지식을 쌓고 새로운 정보를 현실 속의 실제 상황에 연관시킬 수 있다. 학습 환경이 기술적으로 풍부할 경우 최대의 학습 성취로 이어질 수 있다는 말이다. 교육자들은 어느 장소에서든 이동하는 도중에 학생들을 접촉하고 상호 작용할 수 있으며, 강의는 편리한 시간에 언제든 보완할 수 있다. 여건이 되면 웨어러블 기기를 통해 가상 현실 속에서 교육적 경험의 기회를 넓힐 수도 있다.

교육자와 학생은 이렇게 기술 진보가 제공하는 수업 환경을 최적화해 교실과 강의실에서 진행하는 대면 교육을 보완하고, 더 나아가 새로운 교육 흐름에 맞춰 디지털 기술 개선에 직접 참여할 수도 있다. 디지털 혁신의 대표 사례인 혼합 학습blended learning은 대면 학습 방법과 디지털 또는 온라인 학습 방법을 통합한 형태로, 이미 많은 나라에서 널리 사용하고 있다. 혼합 학습은 교수 학습 효율성을 높일 뿐 아니라 기술 자체에 관한 관심을 고조시키는 장점이 있다. 수업에 필요한 정보통신 기술 관련 지식 덕분에 교육자와 학생은 흥미, 능력, 자신감, 창의성, 고용 가능성, 생산력을 배가하고 미래에도 대비할 수 있다.

그러나 온라인 전환은 전력, 인터넷 인프라, 데이터와 장치에 쉽게 접근할 수 있는 사람들과 그렇지 않은 사람들 사이의 극명한 정보 격차를 더욱 두드러지게 했다. 글로벌 차원에서 디지털 혁명은 지식과 정보의 공유를 통한 고른 발전을 기대하게 했지만, 지역 간 빈부 격차를 오히려 심화시켰다. 인터넷 월드스탯Internet World Stats에 따르면, 2019년 기준 아프리카 지역의 인터넷 접속률은 39.6퍼센트인 반면 유럽은 87.7퍼센트, 북아메리카는 95퍼센트다. 학교 폐쇄 때문에 등교를 하지 못하는 학생이 2억 명을 넘는다고 추산되는 아프리카에서는 취약한 온라인 플랫폼 때문에 빚어진 교육 공백이 상대적으로 더 클 수 있다(UNESCO 2020). 온라인 접근성이 상대적으로 양호한 곳에서도 데이터 사용료에 따라 데이터 양, 인터넷 대역폭 배분 또는 인터넷 속도에서 불평등을 겪는데, 이런 불평등은 성별, 연령, 학력, 고용 여부, 가계 소득, 거주지 등 사회경제적 요인에 따른 편차로 나타나기도 한다(Rohs & Ganz 2015). 온라인 접근성의 정도는 온라인 교육이 대면 교육을 보조하거나 대체할 가능성에도 직결된다. 결국 인터넷 인프라, 디지털 문해력, 소프트웨어 접근성과 콘텐츠 접근성, 온라인 지원 커뮤니티의 가용성 등에서 학교와 국가 사이에, 그리고 교사들 사이에 차이가 있는 현실을 고려하면 팬데믹 이후에는 교육 격차가 더욱 벌어질 가능성이 크다.

이런 격차를 상쇄하는 방안을 구상하기는 쉽지 않은데, 일단 국제기구를 통한 공조가 절실하다. 유네스코는 무료로 접근할 수 있는 교육용 애플리케이션, 플랫폼, 자원의 목록을 만들어 학부모, 교사, 학교, 학교 관리자가 학교 폐쇄 기간 동안 학습이 단절되지 않고 사회적 돌봄과 상호 작용이 가능하게 하려는 목표를 세우고 있다. 온라인 교육 기반을 충분히 갖추지 못한 국가가 하는 대응도 참고할 만하다. 남아프리카공화국은 2020년 4월 25일부터 국가 전체가 강제 락다운 상태에 들어갔다. 학교도 당연히 임시 휴교에 들어갔다. 남아공 교육부는 집단 감염병 위기 상황에서 학령기 인구의 학습 공백을 최소화하려는 국가적 대응 계획을 신속하게 수립하고, 국가 교육 과정이 중단되지 않도록 원격 교육에 필요한 모든 가용 자원을 동원했다. 온라인 접근성이 떨어지는 곳에는 라디오와 텔레비전 프로그램을 긴급 편성해 학습 자료와 기타 학습 자원을 제공했다. 특히 남아공 국영 방송SABC을 통해 코로나19 학습자 지원 라디오 프로그램을 정규 방송으로 만들어 학교 수업 시간에 맞춰 학년별 교과 내용을 학습할 수 있게 한 점은 주목할 만하다(Mahaye 2020). 이렇게 팬데믹 상황에서 한정된 자원을 동원해서라도 학습 공백을 최소화하려는 노력이 국가별로 진행되고 있지만, 정상적인 학교 교육이 불가능한 상황에서 드러난 디지털 격차는 온전한 학업 기회를 누릴 권리 면에서 계층 간 격차를 더욱 벌리고, 더 나아가 불평등한 교육권 문제로 확대될 수 있다.

가장 이상적인 상태를 가정해 인터넷 접속 환경과 관련 기기가 모든 이에게 동등하게 제공된다고 하더라도, 온라인 비대면 교육이 반드시 효과적일 것이라는 생각은 희망 사항일 뿐이다. 온라인 교육이 대면 교육을 디지털 형태로 단순 전환하는 형태는 아니므로 교육자가 온라인 교육 환경에 친숙해지고 더 나아가 창의적 교수법을 만드는 단계로 나아가려면 상당한 시간과 경험이 필요하다. 이를테면 비판적 디지털 문해력을 가르치려면 교육자 스스로 충분한 역량을 먼저 갖춰야 한다. 비판적 디지털 문해력은 사이버 공간에서 접하는 정보를 비판적으로 분석하고 진위를 판가름할 수 있는 역량을 말한다. 많은 양의 가짜 뉴스가 유통되는 현실에서 잘못된 정보는 공포,

혼란, 혐오를 부추기고 팬데믹 같은 위기 상황에 적절히 대응하기 어렵게 한다.

더 나아가 비대면 온라인 교육 자체를 지속적으로 검증하고 개선해야 한다. 교육의 플랫폼화는 분명 장단점이 있다. 지식 공유 방식의 효율성과 시공간을 초월한 접근성이 장점이라면, 단점은 거대 자본의 개입과 파편화되고 압축된 지식의 재생산과 유포 가능성이다. 실제로 현재까지 '거대 기술' 기반의 교육 체제 구축은 주로 선진국의 교육 산업 자본과 신자유주의 교육관이 어우러져 교육 수요를 흡수하는 형태로 진행됐다. 이윤 추구를 목적으로 하는 기업이 교육 시장에 개입한다는 말은 상업적 동기가 교육 실행에 영향을 미칠 수 있다는 의미다. 이를테면 A라는 회사가 어느 개발도상국에 매우 낮은 가격으로 온라인 교육 플랫폼을 제공한 뒤 학생들의 학습을 볼모로 하드웨어 업그레이드와 소프트웨어 업데이트를 통해 막대한 이익을 챙기는 기술 생태계가 구축되는 상황도 상상할 수 있다. 상상이 현실이 된다면 지역적 맥락이나 정서를 전혀 고려하지 않은 교육 콘텐츠의 끼워 팔기도 가능해진다. 최악의 시나리오로 브랜드화, 마케팅, 광고에서 엄청난 힘을 가진 기업들이 교육 효과가 검증되지 않은 프로그램을 마치 꼭 필요한 양 포장해 소비자를 조종하는 상황을 상정할 수도 있다. 또한 하나의 교육 플랫폼에서 다른 교육 플랫폼으로 이동하기가 어렵거나 제한될 수도 있다. 이런 맥락에서 기술을 통해 글로벌 지식 경제의 주도권을 쥐게 된 선진국의 지식 산업 주체들은 팬데믹 상황을 빌미로 충분히 검증되지 않은 온라인 교육 모델과 교육 기술 도구를 도입하도록 개발도상국에 압력을 넣을 가능성도 배제하지 못한다.

이런 점들 때문에 전문가들은 새로운 교육 관련 응용 프로그램이나 학습 소프트웨어를 비판적으로 평가하는 동시에 온라인 학습을 통해 가장 깊이 영향받는 인지 과정과 학습 방법에 관해 명확한 이해를 구하고 결과를 공유해야 한다. 모든 기술적 장치가 교육 실행 과정에 장기적으로 어떤 영향을 미치는지를 이해해야 하며, 이런 장치가 학습자의 정신적 성숙과 사회성 함양에 어떻게 영향을 미치는지 또한 계속 연구해야 한다. 가르치고 배우는 행위는 매우 사회적인 의사소통 과정이다. 학교나 대학에서 하는 공부는 지적 과정일 뿐 아니라 고도의 통제력을 지닌 사회화 과정이기도 하다. 기술 기반 온라인 수업 환경에서 가장 효과적인 교수법을 적용할 수 있으려면 교육자를 대상으로 하는 전문적인 재교육에 더해 교원 양성과 임용 과정이 달라져야 하는 등 교육 체제 전반에 걸쳐 대대적인 변화가 필요한데, 사회적 합의를 이끌어내고 비용을 치를 수 있는 능력은 나라와 지역마다 다르다.

팬데믹 시대의 세계시민교육

21세기에 진입한 뒤 세계화가 속도를 더해가며 생겨난 변화 과정에는 빈부 격차, 인권 문제, 환경 파괴, 차별과 폭력의 심화 등 다양한 양상으로 파생된 글로벌 차원의 문제점들 또한 동반됐다. 한 지역에서 일어나는 문제가 빠르게 전지구적으로 확산돼 파장을 일으키는 상황은 이제 국민국가 중심으로 대응할 수 있는 수준을 넘어섰다. 팬데믹 같은 국경을 초월한 위기 상황 앞에서는, 인류 재난에 대응하는 초국경적 공조만이 위기를 타개하는 시간을 앞당길 수 있다는 연대 의식이 필요하다.

이런 필요에 부응해 유네스코는 '학습자들이 더 정의롭고, 평화로우며, 관용적이고, 포용적이며, 안전하고, 지속 가능한 세상을 만드는 데 기여할 수 있도록 하는' 세계시민교육Global Citizenship Education을 표방하고 있다(유네스코 아시아태평양 국제이해교육원 2014, 16). 유네스코는 세계시민교육을 국가별 교육 과정에 반영해 지구촌 공동의 교육 지향점으로 포용하게 함으로써 학습자들이 인류의 현재와 미래를 함께 생각하고 적절한 행동과 선택을 하도록 유도하려 한다. 또한 지역 이기주의 때문에 세계 질서가 여전히 파편화될 수 있는 여건 속에서도 우리가 서로 연결되고 의존하는 흐름을 거스를 때 치러야 하는 대가가 더 크다는 점을 알리려 한다. 그렇기 때문에 세계시민교육은 인류의 현주소를 통찰하고 보편적 가치를 이해하려는 노력으로 귀결된다. 세계시민교육은 복합적이고 다양한 의미를 지니는데, 무엇보다 교육적 노력의 이상적 상태로서 개개인이 지구촌의 일원으로 어떤 행동과 사고를 해야 바람직한지를 깨닫고 긍정적인 영향력을 행사할 수 있게 하는 교육 운동이자 정신 운동으로 정리할 수 있다.

코로나19가 가져온 새로운 상황은 우리가 과거의 생활 세계에

안주할 수 없게 하고 21세기가 단순히 20세기의 연장이 아니라는 점을 각성시키는 계기가 됐다. 20세기가 남긴 여러 교훈을 통해 새로운 공존공영共存共榮의 길을 모색해야 하는데도 오히려 낡은 세계 질서를 공고히 하거나 심지어 과거로 회귀하려는 국가별 움직임이 보이는 시점에 인류는 예상하지 못한 전지구적 재난을 겪게 됐다. 우리 앞에 펼쳐진 이 엄중한 상황은 인류의 미래를 위한 우선순위가 무엇이 돼야 하는지를 다시금 생각하게 한다. 이런 성찰이 교육의 장에서 활발하게 진행되면 전지구적 공동재global common goods로서 세계시민교육이 추구하는 지식과 교육을 창출할 수 있다.

팬데믹이 쉽게 수그러들지 않으면서 지구촌 곳곳이 멈추거나 숨고르기를 하고 있다. 글로벌 연결망이 촘촘해지고 실시간으로 지구 반대편 사람들을 상대로 대화할 수 있는 시대를 살면서도 정작 필요한 '소통'은 되지 않고, 글로벌화에서 파생된 문제들은 의도적 무관심이나 이기적 외면 탓에 수면 아래 머물지 않았는지를 돌이켜볼 적절한 시기다. 팬데믹 상황은 지구촌의 불편한 현실을 덮고 있는 위장막을 일거에 걷어내어 글로벌화의 초라한 현주소를 직시하게 한다. 이상주의적 무한 성장과 진보를 향한 막연한 신뢰는 깨진 지 오래됐다. 그러나 깨어진 신뢰를 대체할 만한 공동의 희망을 담은 철학이나 연대 의식을 모색하지 않은 채 인류의 지속가능성에 관한 피상적 대화만 해온 안일함이 코로나19로 새삼 부각되고 있다. 이런 상황에서 세계시민교육은 교육을 통해 공공선을 구현하고 공동의 위기 대응을 글로벌 차원에서 하나의 정신 운동으로 결집시킬 수 있느냐는 화두를 던진다. 세계시민교육은 지구 보호라는 국제 사회의 책임 의식과 인류 공통의 도전 과제들에 관한 연대 의식으로 귀결되기 때문이다.

더 읽을거리

린 데이비스 지음, 강순원 옮김, 《극단주의에 맞서는 평화교육》, 한울아카데미, 2014

영국 비교교육학회 회장을 거친 저자가 글로벌화되고 다원화된 시대에 극단주의나 배타적 사고와 행동이 여전히 만연하는 지구촌의 현실을 진단한다. 글로벌 공조가 어느 때보다 절실한 지금, 이 책은 극단주의에 맞서는 교육 환경을 갖출 방법을 둘러싼 고민을 함께하는 계기가 된다.

유네스코 지음, 이지향 옮김, 《다시 생각하는 교육 — 교육은 전지구적 공동재를 향해 가고 있는가?》, 유네스코 아시아태평양 국제이해교육원, 2018

인류에게 닥친 변화와 위기 상황 속에서 전지구적으로 필요한 교육의 목적이 무엇인지를 상기시킨다. 특히 교육과 발전에 관한 인본주의적 미래상을 근간으로 교육과 지식을 전지구적 공동재로 보자고 제안한다.

한국국제이해교육학회 엮음, 《모두를 위한 국제이해교육》, 살림터, 2015

국제이해교육 전문가들이 다루는 다양한 주제를 쉽게 접근할 수 있게 정리하고 있다. 특히 핵심인 다양성과 지속가능성 문제를 짚고, 글로벌 쟁점을 중심으로 교육의 현재와 미래에 관한 논의할 거리를 제시한다.

8장

국제적 보건 의료와 세계시민주의는 어떻게 결합할까?

손철성

"코로나19 환자 속출 크루즈선 다이아몬드 프린세스호"

"크루즈선 입항, 국제 문제로 비화, WHO '자유로운 입항 허가해야'"

"5개국이 거부해 표류하던 웨스테르담호, 13일 시아누크빌항 입항"

"우방도 신의도 없다? 마스크 가로채기 쟁탈전 격화"

"선진국이 독차지, 전세계 마스크 빈익빈 부익부"

"가난한 나라, 코로나19 위협 더 커"

"코로나19 백신 향해 세계 뭉쳤다, 30여개국 10조원 지원 약속"

"EU 전례 없는 국제 협력 가동, 고립주의 미국은 이번에도 불참"

코로나19 팬데믹과 국제적 정의

코로나19가 확산하면서 전세계가 위험에 노출돼 공포에 떨기 시작한 2020년 2월부터 쏟아진 뉴스의 제목이다. 전염병 확산을 염려해 크루즈 선 승객의 하선을 거부한 일, 크루즈 선이 정박하거나 승객을 하선시킬 곳이 없어서 바다에 떠돌아다닌 일, 의료용 마스크를 서로 차지하려고 국가들 사이에 경쟁이 거세지고 불신과 갈등이 심화된 일, 부자 국가들이 마스크 같은 의료 장비를 독점함으로써 가난한 국가들이 더 많은 위협을 받는 일, 코로나19 백신과 치료제를 개발하고 보급하려 세계 각국이 공동으로 기금을 조성한 일, 어떤 국가는 이런 국제적 협력에 불참하고 고립주의 정책을 채택한 일이 그동안 발생했다.

이런 일들은 보건 의료 분야에서 국제적 정의와 윤리의 문제를 제기한다. 한 사회 안에서 소득과 재산, 기회 등을 어떻게 분배할지를 다루는 일이 국내적 정의의 문제라면, 국가들 사이에 그런 가치들을 어떻게 분배할지를 다루는 일은 국제적 정의의 문제다. 전통적으로 분배적 정의는 주로 한 사회 안에서 재화와 기회 등을 공정하게 분배하는 방식에 초점을 맞췄다. 그런데 코로나19 팬데믹에서 볼 수 있듯이 보건 의료 자원을 국제적으로 공정하게 분배하는 문제, 위급한 상황에 놓인 이방인에게 국경을 개방하는 문제도 아주 중요해지고 있다. 이제 우리는 정의가 적용되는 범위를 한 사회나 한 국가의 경계를 넘어 지구 전체로 확장해야 한다. 기후 변화, 기아와 빈곤, 국제 난민, 전염병 확산 등 지구촌에서 일어나는 여러 문제를 해결하려면 지구 공동체의 윤리를 마련해야 한다.

분배적 정의의 문제가 발생하는 이유는 부족한 자원과 인간의 이기심 때문이다. 만약 모든 사람이 쓰고도 남을 정도로 자원이 풍부하거나 인간이 이타적이어서 서로 양보한다면 자원을 둘러싼 갈등은 생기지 않는다. 보건 의료 자원의 분배를 둘러싼 국제적 정의의 문제도 마찬가지다. 코로나19를 막을 방역 장비나 의약품, 의료 시설, 의료 인력 등은 세계적으로 부족할 뿐 아니라 불평등하게 분배돼 있으며, 각 국가들은 자국의 이익을 위해 의료 자원을 차지하려 한다. 특히 가난한 국가들은 보건 의료 자원이나 서비스가 아주 부족해 위험에 더 많이 노출된다. 인간에게는 이기심뿐 아니라 타인의 고통에 공감하는 동정심이나 공평성을 추구하는 정의감도 있기 때문에, 이런 정의감을 바탕으로 보건 의료 자원의 공정한 분배 원칙을 마련해야 한다. 우리는 이런 질문을 던질 수 있다.

- 위급한 이방인에게 국경을 개방해야 하는가?
- 부유한 국가는 가난한 국가에 보건 의료 자원을 지원해야 할 도덕적 의무가 있는가? 만약 그렇다면 얼마만큼 지원해야 하는가?

바다를 떠도는 크루즈 선, 승객의 하선을 거부해도 되는가

크루즈 선에 전염병이 퍼지기 시작했다. 이 배가 몇 나라를 거쳐 A국가에 도착하는 과정에서 전염병이 빠르게 확산해 많은 승객이 고열, 폐렴, 통증 등으로 고통을 겪고 있으며 증상이 심한 환자는 목숨을 잃기도 했다. 선장은 환자에게 의약품을 지급하고 승객을 격리시키는 등 여러 조치를 취했지만 전염병 확산을 막기에는 역부족이었다. 부족한 의료 자원, 밀폐된 시설 등 취약한 여건 탓에 모든 승객이 위험에 빠진 급박한 상황이 됐다. 선장은 A국가에 비상사태를 알리고 환자 치료와 방역 등을 위해 모든 승객이 하선할 수 있게 승인해달라고 요청했다. A국가도 전염병이 확산돼 어려움을 겪고 있기는 하지만 의약품, 의료 인력, 병원 시설 등은 어느 정도 여유로워서 환자를 더 받을 수 있다. 이 배에는 A국가의 국민을 포함해 여러 나라 사람들이 타고 있다.

그렇다면 A국가는 이런 하선 요구에 대해 어떻게 해야 하는가? 모든 승객의 하선을 거부해야 하는가? A국가 국민만 하선을 허용해야 하는가? A국가의 해외 동포도 하선을 허용해야 하는가? A국가하고 가까운 국가들의 승객도 하선을 허용해야 하는가? 모든 승객의 하선을 허용해야 하는가?

이 예화는 꾸민 이야기다. 그런데 코로나19 사태에 관련해 비슷한 사건이 일어나 논란이 됐다. 2020년 2월 크루즈 선 다이아몬드 프린세스호는 일본 요코하마 항 입항이 거부돼 바다에 고립된 상태에서 코로나19가 퍼져 환자 수백 명이 발생했고, 웨스테르담호는 아시아의 여러 국가들이 전염병 확산을 염려해 입항을 거부하는 바람에 바다를 떠돌게 됐으며, 엠에스시MSC 메라빌리아호는 승무원이 독감 증세를 보여 하선을 거부당하고 카리브 해를 돌아다니는 신세가 됐다. 이렇게 이런 일은 우리 주변에서 벌어질 수도 있고, 우리가 직접 겪을 수도 있다. 우리는 어떤 태도를 취해야 할까?

승객이 내리면 A국가에 전염병이 더 많이 확산될 수 있고 의료 자원도 많이 필요하기 때문에 모든 승객의 하선을 거부해야 한다는 견해가 있다. 그런데 그 배에는 A국가의 국민도 타고 있지 않는가? 그 사람들도 같은 국민이기 때문에 다른 국민들처럼 좋은 의료 환경에서 동등한 치료를 받을 권리가 있다. 국가는 생명이 위태로운 상황에 놓인 자국민을 방치해서는 안 된다. 그래서 자국민만이라도 하선을 허용해 위험한 상황에서 벗어나게 도와야 한다는 견해가 있다.

그런데 그 배에는 해외 동포도 타고 있지 않는가? 그 사람들은 A국가 국민들하고 혈연적이고 문화적인 동질성을 지니거나 친인척 관계에 있기도 하다. 그래서 민족이나 문화 공동체 의식을 발휘해 해외 동포도 하선할 수 있게 해야 한다는 사람이 있다. 그렇다면 그 배에 타고 있는 동맹 국가나 친교 국가의 국민들은 어떻게 해야 하는가? 그동안 친밀한 관계를 유지하면서 서로 도움을 주고받은 국가의 국민들을 외면해서는 안 된다. 그래서 적대 국가의 국민은 제외하되 친밀한 국가의 국민은 하선을 승인해야 한다는 견해가 있다.

이제 그 배에는 하선 승인을 받지 못한 적대 국가의 국민만이 죽음의 공포 속에 남겨져 있다. 과연 이런 상황은 온당한가? 적대적 행위는 그 사람들이 아니라 국가가 하지 않았는가? 지금은 평상시가 아니라 생명이 위급한 비상 상황이지 않는가? 그 사람들도 소중한 생명을 지닌 똑같은 인간이 아닌가? 만약 여러분이 거기에 남겨진 사람들이라면 어떤 생각이 들겠는가?

임마누엘 칸트Immanuel Kant는 《영구 평화론》에서 환대hospitality의 권리를 말한다. 이방인이 다른 나라 땅에 들어갈 때 적대적으로 대우받지 않을 권리다. 이방인이 다른 나라 땅에서 평화적으로 행동하는 한 그 나라는 이방인을 적대시하면 안 된다. 만약 배가 난파해 곤경에 빠진 이방인이 다른 나라에 상륙하려 할 때는 허용해야 한다. 이방인이 심각한 위험 상황에 빠져 있다면 더욱더 그렇다. 칸트는 이 권리를 방문의 권리visiting right라고 부른다. 방문의 권리는 생명이 위태로운 급박한 상황에 놓여 있거나 평화적으로 교류하려 할 때 이방인이 다른 나라를 방문해 일시적으로 머물 수 있는 권리다. 이방인이 다른 나라 땅에 장기간 머물 수 있는 영주의 권리guest right는 승인이 필요하지만 방문의 권리는 그렇지 않다. 방문의 권리는 이방인을 비롯해 지구상의 모든 사람이 갖는 보편적 권리다. 지구에 함께 모여 사는 모든 사람이 국적에 상관없이 세계 시민으로서 갖는 권리다.

칸트는 위급한 상황에 놓인 사람은 다른 나라에 상륙해 일시적으로 머물 권리, 적대적으로 대우받지 않을 권리가 있다고 봤다. 이런 주장을 반박하기는 쉽지 않다. 칸트가 이야기하듯 우리가 공동으로 소유한 지구의 땅덩어리가 무한히 크지는 않기 때문에 여행이나 교류를 하는 과정에서 다른 나라 사람들을 마주칠 수밖에 없다. 그런데 그 사람들이 낯선 이방인이라고 해서 적대적으로 대우해도 될까? 그 사람들을 인격적 존재로 존중한다면 우호적으로 대우해 일시적으로 머물 수 있게 해야 한다.

칸트의 주장을 받아들인다면 하선하게 해달라는 승객들에게 우리는 어떻게 해야 하는가? 그 사람들은 전염병 때문에 위급한 상황에 놓여 있으며, 하선을 하지 못하면 더 위험한 상황으로 내몰리게 된다. A국가는 추가적인 환자 치료와 방역에 필요한 여건을 갖추고 있다. 그리고 이렇게 위급한 사람들에게는 다른 나라에 상륙해 일시적으로 머물 수 있는 권리, 곧 피난처를 구할 수 있는 권리가 있으며, 우리에게는 그 권리를 존중해야 할 의무가 있다. 그런 권리를 존중하는 행동은 하면 좋고 하지 않아도 괜찮은 자선 행위가 아니라 우리가 반드시 해야 할 도덕적 의무다. 따라서 우리는 방문의 권리와 환대의 권리를 존중해 승객들이 평화적으로 행동하고 안전을 크게 위협하지 않는 한 위급한 승객은 모두 하선할 수 있게 허용해야 한다. 오갈 데 없는 바다에서 죽음의 나락에 빠진 사람들을 국적이 다르다고 해서, 낯선 국가 사람들이라고 해서 차별하고 배제해 하선을 거부하는 행동은 옳지 않다.

다행스럽게도 2주나 바다를 떠돌던 웨스테르담호는 캄보디아 정부가 입항을 허가해 2월 13일 시아누크빌 항에 승객을 내려놓았다. 캄보디아 정부는 차별이 코로나19보다 더 나쁘다면서 다른 나라 사람들이 아프다고 입항을 거부하는 행동은 옳지 않다고 말했으며, 세계보건기구도 이 조치를 국제적 연대의 사례로 높이 평가하면서 각국 정부가 크루즈 자유 입항을 허용해야 한다고 주장했다.

우리도 원조를 받은 적이 있지 않는가

코로나19 팬데믹 상황에서 가난한 국가는 부유한 국가에 견줘 보건의료 분야도 취약하기 때문에 피해도 더 클 가능성이 높다. 부유한 국가도 이번 코로나19 사태에서 경험한 대로 전염병 확산 같은 전혀 예상하지 못한 일로 국가적 위기를 맞을 수도 있다. 그렇다면 이런 세계적 위기 상황에서 자국의 안전과 이익만 우선시하고 주변 국가들이 놓인 곤경에는 눈감아도 될까? 부유한 국가가 가난한 국가를 돕지 않고 가만히 있다면 도덕적으로 나쁜 일인가 아닌가?

'6·25 전쟁 유엔 참전 용사에게 마스크 100만 장 지원.' 한국 정부가 한국전쟁 때 유엔군으로 참전한 22개 국가의 참전 군인들에게 마스크를 지원한다는 뉴스에 달린 제목이다. 한국전쟁 때 받은 도움에 보답하려고 방역 물품을 지원한다는 소식에, 코로나19로 우리도 어려움을 겪고 있지만 대부분의 사람이 지지를 보낸다. 우리가 어려울 때 도움을 준 사람들이 곤경에 빠져 있다면 보답하는 행동은 인지상정이기 때문이다.

코로나19로 곤경에 놓인 국가를 도와야 하는 이유에 관련해 가장 쉽게 떠올릴 수 있는 말은 '과거에 받은 지원에 보답하기'다. 일제 강점기에서 해방되고 한국전쟁을 거치면서 커다란 어려움을 겪은 한국에 유엔을 비롯한 다른 나라들은 식량, 의약품, 생필품, 경제 복구 자금 등을 지원했다. 한국이 1990년대 중반까지 받은 원조 물품이나 자금은 거의 203억 달러에 이른다.

가난한 시절에 받은 도움에 보답하려면 당연히 해외 원조에 나서야 한다. 그렇지만 한국의 해외 원조 규모는 아직도 다른 선진국에 견줘 낮은 편이다. 선진국 정부 기관이 개발도상국이나 국제기구에 자금과 기술 등을 지원하는 공적개발원조ODA를 살펴보면, 한국은 2019년에 25억 달러를 지원해 경제협력개발기구OECD 29개 회원국 중 15위다. 국민총소득GNI 대비 0.15퍼센트 정도로, 전체 회원국 평균인 0.3퍼센트의 절반 수준이다. 그래도 지난 10년 동안 연평균 증가율을 따지면 전체 회원국 평균인 2.4퍼센트에 견줘 한국이 11.9퍼센트로 가장 높다는 점은 고무적이다.

유엔이 선진국에 권장하는 공적 개발 원조 규모는 국민총소득의 0.7퍼센트 수준이다. 경제개발협력기구에 가입국이자 세계 10위권의 경제 규모라는 위상에 걸맞게 한국도 해외 원조를 늘려야 한다. 가난하던 시절에 받은 해외 원조에 보답하는 차원에서 경제와 기술 분야 지원을 비롯해 보건 의료 분야 지원에도 적극 나서야 한다.

우리도 다른 국가에 피해를 준 적이 있지 않는가

다른 사람에게 준 피해를 보상해야 한다는 사실을 우리는 당연하게 받아들인다. 그렇다면 다른 나라에 피해를 준 때는 어떻게 해야 할까? 국가들 사이에 발생한 국제적 갈등이고, 이런 사안을 규제하는 국제법도 강제력이 없는 만큼 무시한 채 보상하지 않아도 될까?

'타인에게 피해를 주면 적절한 보상을 해야 한다'는 도덕 원칙은 아주 고전적이다. 아리스토텔레스Aristoteles는 《니코마코스 윤리학》에서 물건을 거래하거나 다른 사람하고 교류하면서 경제적 피해나 신체적 피해를 준 때는 상응하는 보상을 해야만 정의롭다는 '시정적 정의'를 주장한다. 다른 사람에게 100만 원의 피해를 주면 그 피해에 상응해 100만 원을 보상하는 행위는 정의로우며, 아예 보상을 하지 않거나 피해액보다 적게 보상하는 행위는 정의롭지 않다는 말이다.

이런 정의 원칙은 개인들 사이의 관계를 넘어 국제 관계에도 그대로 적용될 수 있다. 한 국가가 다른 국가에 피해를 주면 국가 차원에서 적절히 보상을 해야 마땅하다. 서구 강대국들은 회유, 강제, 폭력 등 온갖 수단을 동원해 아시아, 아프리카, 남아메리카의 여러 국가를 식민 지배하고, 그 과정에서 자원을 강탈하고 노동력을 착취하고, 심지어 식민지 국민을 제국주의 전쟁에 강제 동원했다. 한국을 비롯한 여러 식민지 국가는 문화 전통이 파괴되고 경제 발전이 지체되는 등 많은 피해와 고통을 받았다. 따라서 과거 식민지 지배 국가들은 그런 피해를 보상하는 차원에서 가난한 국가들을 도와야 할 도덕적 책무가 있다.

그렇다면 한국은 식민 지배를 한 적이 없기 때문에 다른 나라에 피해를 준 적이 없는가? 쉽게 떠올릴 수 있는 사례가 지구 온난화 문제다. 한국을 비롯한 선진국들은 경제 성장 과정에서 제3세계 국가들보다 더 많은 화석 연료를 소비했는데, 여기서 배출된 이산화탄소는 지구 온난화를 가속시키는 주범이다. 지구 온난화는 전세계에 피해를 주고 있으며, 제3세계 국가들은 사막화와 해수면 상승 등으로 직격탄을 맞고 있다. 가난한 나라들은 이산화탄소를 적게 배출하는데도 상대적으로 더 큰 피해를 보기 때문이다.

이런 피해 문제는 국제 경제 분야에서도 볼 수 있다. 이매뉴얼 월러스틴Immanuel Wallerstein은 근대에 형성된 세계 경제 체제가 중심부와 주변부, 곧 선진국과 제3세계로 나뉘어 국제적 분업을 하고 있으며, 이 과정에서 선진국이 제3세계를 끊임없이 착취하고 있다고 본다. 중심부 국가가 상품과 서비스의 부등가 교환을 통해 주변부 국가에서 잉여가치를 빼앗는다는 말이다. 선진국들이 주변부 국가에서 생산된 상품과 서비스를 헐값으로 사들여 피해를 주고 있다는 시각에서 보면, 제3세계를 상대로 많은 거래를 하는 한국도 비판에서 자유롭지 못하다. 제3세계에서 생산한 값싼 바나나, 커피, 의류 등을 많이 소비하기 때문에 우리도 알게 모르게 그런 착취 구조에 가담하고 있다. 요즘 벌어지는 공정 무역 운동은 이런 문제들을 고치려는 여러 노력의 하나다. 이렇게 우리는 피해 보상의 차원에서 코로나19 등으로 곤경에 빠진 가난한 나라들을 도와야 할 도덕적 의무가 있다.

곤경에 빠진 국가들을 돕지 않는 일도 나쁜가

곤경에 빠진 국가하고 도움이나 피해를 주고받은 관계가 아닌 경우는 어떨까? 그럼 원조를 해야 할 도덕적 의무가 없는가? 처음 보는 낯선 사람이 코로나19 등으로 곤경에 빠져 있다면 그 사람에게 도움을 받은 적도 없고 피해를 준 적도 없기 때문에 그냥 내버려둬도 되는 것일까?

《윤리형이상학 정초》에서 칸트는 다음같이 말한다. 유복한 생활을 하는 사람이 곤경에 빠진 사람을 보고 전혀 도움을 주지 않는 경우가 있다. 그 사람은 다른 사람들의 행복을 빼앗거나 시기할 마음은 없으며, 단지 다른 사람들에게 무관심할 뿐이다. 물론 이런 사람은 다른 사람들을 속이거나 때려 피해를 준 사람보다는 좋은 사람이다. 그렇지만 칸트는 그런 무관심한 태도가 보편적 원칙이 될 수는 없다고 본다. 왜냐하면 그 사람도 자기가 어려운 처지에 빠지게 되면 다른 사람에게 도움을 요청할 텐데, 그런 무관심한 태도가 보편적 원칙이 되면 다른 사람도 도움을 주지 않게 돼 그 사람도 도움을 받을 수 있는 희망이 사라지기 때문이다. 그래서 주변에 무관심한 태도는 바람직하지 않다.

칸트는 어려운 사람을 돕는 행동을 우리가 마땅히 따라야 할 보편적 의무라고 봤다. 우리는 어려운 사람을 도와야 하는데, 그 사람이 나하고 친하거나 그런 도움이 내게 나중에 이익을 가져오기 때문은 아니다. 돕는 행위 자체가 옳기 때문이다. 어려운 사람을 돕는 일은 옳은 일이며, 우리는 그런 옳은 일을 행해야 할 도덕적 의무가 있다. 이런 윤리적 견해를 '의무론'이라고 부른다. 이 견해를 받아들인다면 곤경에 빠진 사람이 나하고 전혀 관계없는 이방인이더라도 우리는 그 사람을 도와야 할 도덕적 의무가 있게 된다. 그 사람이 아주 친한 이웃 사람인지, 아니면 같은 국가의 구성원인지, 아니면 다른 나라의 낯선 이방인인지는 중요하지 않다. 그 사람이 곤경에 빠져 있고, 우리에게는 곤경에 빠진 사람을 도와야 할 의무가 있다는 점이 중요하다. 따라서 우리는 코로나19 같은 전염병으로 곤경에 빠진 사람들이 우리 이웃이든 다른 나라 이방인이든 상관없이 모든 사람에게 도움의 손길을 뻗어야 한다.

곤경에 빠진 국가를 도와야 할 의무는 공리주의적 견해에서도 적극적으로 옹호된다. 제러미 벤담Jeremy Bentham은 《도덕과 입법의 원칙에 대한 서론》에서 공리의 원칙에 입각해 좋은 결과를 낳는 행위를 옳은 행위로 본다. 이때 좋은 결과란 더 많은 사람에게 더 많은 쾌락을 가져다주는 상황이다. 우리에게도 익숙한 '최대 다수의 최대 행복'이 도덕 판단의 기준이 된다. 여기서 도덕적 고려의 대상은 자국민을 넘어 인류 전체가 되며, 더 나아가 쾌락과 고통을 느낄 수 있는 동물도 포함된다. 이런 공리의 원칙을 받아들인다면 우리는 세계적 차원에서 쾌락의 총량은 증가시키고 고통의 총량은 감소시키는 노력을 해야 한다. 따라서 코로나19로 곤경에 빠진 나라의 고통을 덜어주려 돕는 일은 우리의 도덕적 의무가 된다.

공리주의를 계승한 피터 싱어Peter Singer는 원조의 의무를 강하게 주장한다. 어떤 사람들은 우리가 만들어낸 결과가 아니라면 우리에게는 가난한 나라의 궁핍에 관해 책임이 없다고 주장하기도 하지만, 싱어는 그런 견해가 틀렸다고 본다. 어려운 사람들을 돕지 않아 그 사람들을 '죽도록 방치하는 행위allow to die'와 그 사람들을 적극적으로 '죽이는 행위killing'는 큰 차이가 없다는 말이다. 왜냐하면 두 경우 모두 죽음이라는 비참한 결과를 가져오기 때문이다. 이렇게 싱어는 도움을 주지 않고 가만히 있는 행위도 도덕적으로 매우 나쁘다고 봤다. 이런 견해를 받아들인다면 코로나19 같은 전염병으로 곤경에 빠진 국가의 사람들을 볼 때 커다란 희생 없이 도울 수 있는데도 돕지 않는다면 우리는 그 사람들을 죽인 것과 마찬가지가 된다. 우리가 그런 곤경을 만들지 않았더라도 그 사람들이 고통을 겪고 있다면 우리는 그 고통을 덜어주기 위해 원조를 해야 할 의무가 있다.

보건 의료 권리도 인권에 들어갈까

우리에게도 익숙한 인권 항목으로는 생명권, 자유권, 재산권 등이 있다. 다른 사람의 위협에 맞서 자기 생명을 지킬 수 있는 권리, 노예처럼 감금이나 억압을 받지 않고 자유롭게 행동할 수 있는 권리, 정당하게 모은 재산을 소유하고 처분할 수 있는 권리는 모든 사람에게 보장돼야 한다. 그렇다면 자기의 건강을 보호받거나 코로나19 같은 질병에 걸린 때 치료를 받는 일도 인간의 기본적 권리에 속할까?

오늘날의 인권 개념을 정립하는 데 미국의 〈독립 선언문〉(1776년), 프랑스의 〈인간과 시민의 권리 선언〉(1789년), 유엔의 〈세계 인권 선언〉(1948년) 등이 많은 기여를 했다. 이 선언들에는 '인간은 자유롭게, 그리고 권리에 있어 평등하게 태어나 존재한다'거나 '모든 인간은 태어날 때부터 자유롭고, 존엄성과 권리에 있어 평등하다'고 적혀 있다. 여기서 볼 수 있듯이 인권 개념의 특징은 자연성, 평등성, 보편성이다. 인권은 사람이 태어날 때부터 갖기 때문에 자연적이고, 모든 사람이 동등하게 갖기 때문에 평등하고, 언제 어디에서든 적용되기 때문에 보편적이다. 따라서 어떤 권리가 인권이 되려면 모든 인간이 세계 어느 곳에서나 단지 인간이라는 이유만으로도 그 권리를 평등하게 누릴 수 있어야 한다.

인권 개념에는 구체적으로 어떤 권리들이 포함될까? 인권 개념은 시민의 정치적 권리를 소극적으로 주장하는 단계에서 출발해, 경제적 권리와 사회적 권리를 적극적으로 주장하는 단계를 거쳐, 이제 연대의 권리까지 주장하는 단계로 발전하고 있다. 유엔의 〈세계 인권 선언〉은 인권 항목으로 이주의 자유, 사회 보장의 권리, 노동의 권리, 휴식과 여가의 권리, 삶의 질에 관한 권리를 포함시키며, 제1조에서는 모든 인류를 위해 '형제애의 정신'을 발휘해야 한다고 강조한다.

고전적 자유주의자인 존 로크John Locke의 주장에서 볼 수 있듯이 생명권이나 자유권은 대체로 소극적 의미로 이해된다. 다른 사람이 내 생명을 위협할 때 죽게 되지 않을 권리, 다른 사람에게 간섭을 받지 않고 자유롭게 행동할 수 있는 권리다. 이런 견해에서는 기아나 질병으로 내 생명이 위협을 받더라도 다른 사람이 가한 위협이 아니라면 생명권의 침해라고 보기 힘들다. 또한 내가 기본적인 욕구를 충족하고 싶지만 경제적 여건이 되지 않아서 그렇게 하지 못할 때는 자유권의 침해라고 보기 힘들다. 반면 생존권이나 복지권 같은 경제적 권리와 사회적 권리는 적극적인 의미로 이해될 수 있다. 기아나 질병으로 죽을 위기에 놓여 있다면 나는 내 생존이나 복지를 위해 사회나 국가에 지원을 요구할 권리가 있다. 내 생존이나 복지가 위협받고 있는데도 이런 지원 요구가 거부된다면 권리의 침해가 된다. 모든 인간에게는 생존을 유지할 수 있는 권리, 건강과 복지를 누리면서 인간답게 살 수 있는 권리가 있다. 그리고 연대의 권리도 있기 때문에 국가와 국제 사회에 유대감을 발휘해 지원과 협력을 해달라고 요구할 권리도 있다. 건강 의료 권리는 보편적 인권에 속하며, 따라서 우리는 그런 인권을 존중해 코로나19 같은 전염병으로 고통받는 모든 사람을 돕는 데 적극적으로 나서야 할 의무가 있다.

출신 국가를 묻는 잘못된 질문

"당신은 어느 국가 출신 환자인가요?" 코로나19에 걸린 환자에게 이렇게 물어도 될까? 혹시 이렇게 묻는 일 자체가 잘못되지 않았을까? 그 환자가 한국이 아니라 다른 나라 사람이라면 어떻게 하려고 그런 질문을 던진 걸까? 코로나19 팬데믹으로 세계 각국이 입국 절차를 강화하면서 발열 검사를 해 체온이 높으면 자국민은 일단 입국시킨 뒤 격리 검사와 치료에 들어가지만 외국인은 아예 입국을 금지하고 되돌려 보내는 나라도 생기고 있다. 코로나19 환자 또는 환자일 가능성이 있는 사람을 국적에 따라 차별해도 괜찮을까?

고대 그리스 철학자 디오게네스Diogenes는 어디 출신이냐는 질문에 이렇게 답했다고 한다. "나는 세계 시민입니다." 세계시민주의 이념을 상징적으로 보여주는 예화다. 출신 지역이나 출신 국가에 따라 차별하지 않고 모든 인간을 세계 시민으로 동등하게 대우해야 한다는 말이다. 세계시민주의는 인권 같은 보편적 가치를 중시하며, 인류애를 발휘해 모든 인간을 사랑해야 한다고 강조한다. 우리가 세계시민주의 이념을 받아들인다면 낯선 환자에게 어느 국가 출신이냐고 묻는 대신에 어디가 아픈지를 묻고 그 환자를 환대와 우호의 마음으로 따뜻하게 맞이해야 한다. 세계시민주의 정신을 잘 보여주는 단체가 '국경없는의사회MSF'다. 인종이나 민족, 국가 같은 경계를 넘어서서 지구상의 모든 환자를 공평하게 치료하기 위해 국제적인 구조 활동을 펼치는 곳이다.

자크 데리다Jacques Derrida는 '무조건적 환대'를 주장한다. 어떤 제한이나 한계, 차별도 두지 않고 이방인을 맞이해야 한다는 말이다. 자기 집을 방문하려는 이방인이 누구든 간에 기쁜 마음으로 맞이할 자세를 갖추고 그 사람이 멀리 보이기 시작하면 진정을 다해 말해야 한다. "어서 들어오시오. 모시게 돼 몹시 행복합니다." 무조건적 환대의 태도를 갖기가 현실적으로 어려울 수도 있지만, 낯선 환자를 차별하거나 배제하지 않고 기꺼이 맞이할 수 있도록 노력해야 한다.

세계화 시대에 지구는 하나의 공동체가 되고 있다. 지구상에 있는 모든 국가, 모든 사람은 국가의 경계를 넘어 서로 영향을 주고받으면서 긴밀하게 상호 작용을 하고 있다. 정보통신 기술이 발달해 세계 곳곳에서 발생하는 일들을 우리 주변 일처럼 쉽게 감지해 공감도 하고 분노도 한다. 이런 시대에는 국가의 구성원으로서 지니는 시민적 의무에 못지않게 지구 공동체의 구성원으로서 지니는 세계시민적 의무도 중요하다. 코로나19 팬데믹으로 지구 전체가 위기에 빠진 지금, 우리는 지구 공동체의 구성원으로서 지녀야 할 세계시민주의 정신을 발휘하려 더욱더 노력해야 한다.

우연히 가난한 국가에 태어난 것도 잘못인가

코로나19 팬데믹 과정에서 가난한 국가 국민들은 방역 수준이 낮고 의료 물품도 마련하기 어려워 전염병 위험에 더 많이 노출돼 있다.

한국도 코로나19 확산 초기에 마스크 대란이 발생해 취약 계층은 마스크를 구하기 어려웠는데, 이런 현상은 국제 사회에서도 마찬가지로 나타난다. 부유한 국가들은 막강한 경제력을 바탕으로 마스크와 진단 키트 등을 독차지하고 있지만 가난한 국가들은 코로나19의 위협에 거의 무방비 상태다. 제3세계 국가들은 진단 키트가 부족해 코로나19 감염자와 사망자 수를 알 수 없고, 설사 안다고 해도 의료 시설이 모자라 환자를 적극적으로 치료하기도 힘들다. 제3세계 국민들은 정치, 경제, 문화 영역뿐 아니라 보건 의료 영역에서도 선진국 국민보다 취약한 상태에 있다. 가난한 국가에 우연히 태어난 사실 하나 때문에 더 큰 고통을 겪는다. 이렇게 우연이 우리 삶에 결정적인 영향을 줘도 괜찮을까? 운명이니까 어쩔 수 없는 일일까?

존 롤스는 《정의론》에서 재화 같은 사회적 가치를 공정하게 분배하는 과정에 우연적 요소가 영향을 주면 안 된다고 주장한다. 타고난 재능이나 능력, 신분, 가정 환경 같은 우연 때문에 분배에서 격차가 생겨 누구는 행복한 삶을 살고 누구는 불행한 삶을 산다면 정당하지 않다는 말이다. 그렇다면 자기의 선천적 능력이나 가정 환경을 모른다고 가정한 상태에서 우리는 어떤 분배 방식을 선택할까? 이런 무지의 베일veil of ignorance 상태에서는 최소 수혜자에게 최대 혜택을 주는 차등의 원칙을 선택하게 된다고 롤스는 말한다. 자기가 지닌 여건이 가장 불리할 수도 있다고 가정해서 그런 최소 수혜자, 곧 사회적 약자에게 최대 혜택이 돌아가는 분배 방식을 선택한다는 말이다.

롤스는 이런 차등의 원칙을 국내적 정의 원칙에만 적용하지만,

그 정신을 제대로 살리려면 국제적 정의 원칙에도 일관되게 적용해야 한다. 부유한 국가에 태어날지 가난한 국가에 태어날지는 우연에 맡겨져 있는데, 이런 국적이 우리 삶에 결정적 영향을 주는 상황은 공정하지 않다. 따라서 롤스가 제안한 차등의 원칙을 국제적 분배 원칙에도 적용한다면 지구상의 최소 수혜자 또는 최소 수혜 국가에 최대 이익이 되도록 분배가 돼야 한다. 코로나19 팬데믹이라는 위기 상황에서 보건 의료 여건이 취약한 국가들이 최대한의 이익을 얻을 수 있는 한도까지 방역 물품과 의료 물품을 지원해야 한다. 차등의 원칙은 완전한 평등주의는 아니지만 상당히 높은 수준에서 국제적인 분배와 원조가 진행돼야 한다고 요구한다.

다른 나라 사람들의 고통은 덜 중요한가

코로나19 팬데믹으로 친한 사람은 취미인 영화 감상을 하지 못해 작은 고통을 겪고 있고 낯선 사람은 전염병에 걸려 큰 고통을 겪고 있다면, 나는 누구를 먼저 도와야 할까? 뒷사람을 먼저 도와야 한다. 나하고 얼마나 가까운 사람인지보다 누가 더 큰 고통을 받고 있는지가 중요하기 때문이다. 싱어는 이런 주장을 '이익 평등 고려의 원칙'이라고 부르면서, 쾌락과 고통을 느낄 수 있는 모든 존재의 이익을 평등하게 고려하려면 해외 원조에 적극적으로 나서야 한다고 말한다. 원조에서 국가의 경계선은 중요하지 않으며 인류 전체의 행복을 증진하고 고통을 감소시키는 문제가 중요하다는 뜻이다.

그렇다면 우리는 곤경에 빠진 사람을 얼마만큼 도와야 하는가? 싱어는 손실보다 이익이 더 크다면 어려운 처지에 있는 다른 사람을 최대한 도와야 한다고 주장한다. 얕은 물에 빠진 아이가 있다면 내 옷이 젖고 내 구두가 진흙투성이가 되더라도 그 아이를 구해야 한다. 왜냐하면 아이의 생명은 옷이나 구두의 가치에 견줄 수 없을 만큼 소중하기 때문이다. 공리주의적 견해를 지닌 싱어는 어려운 사람을 도와줘서 늘어나는 가치, 곧 이익이 그 사람을 도와줘서 잃게 되는 가치, 곧 손실보다 크다면 최대한 도와야 한다고 본다. 우리가 원조를 해서 질병에 걸린 사람들이 치료를 받게 돼 얻는 이익이 우리가 값비싼 저녁을 먹지 못하게 되거나 해외 휴가를 가지 못하게 돼 발생하는 손실보다 크다면, 우리는 원조를 해야 한다는 말이다.

공리주의에 입각한 싱어의 주장은 상당히 강한 원조의 의무를 부여하기 때문에 부담이 되기도 한다. 마틴 피터슨Martin Peterson은 도덕적으로 중요하게 여기는 가치를 잃지 않을 때까지만 원조를 하면 된다면서 싱어보다는 낮은 수준의 원조를 주장한다. 싱어도 자기가 원조 수준에 관해 제기한 이론적 주장이 현실에서 통용되기 힘들다고 생각해서 실천적 방안으로 수입의 10퍼센트 기부를 제안하기도 했는데, 요즘에는 수입의 1퍼센트 기부에서 시작해 수입이 많아질수록 비율을 늘리는 누진적 기부 방식을 제안한다. 이런 주장을 받아들인다면 우리는 전염병 때문에 곤경에 빠진 나라들에 우리가 중요하게 여기는 가치들을 희생시키지 않는 범위에서 최대한 도움을 줘야 한다.

연대하고 협력하는 세계 시민

지금까지 살펴본 대로 의무론, 권리 이론, 공리주의, 세계시민주의 등 여러 윤리 사상에 바탕하면 보건 의료 분야에서도 국제적 연대와 협력이 도덕적 의무로서 강하게 요구된다. 과거에 받은 원조에 보답해야 하고, 다른 나라에 준 피해를 보상해야 하고, 어려운 사람을 도와야 할 의무를 수행해야 하고, 인권으로서 보건 의료 권리를 존중해야 하고, 모든 인류의 고통을 평등하게 고려해야 하고, 지구 공동체의 구성원으로서 세계 시민 정신을 발휘해야 하기 때문이다.

다행스럽게도 코로나19 팬데믹에 대응하는 국제적 연대와 협력을 끌어낼 방안이 활발히 논의되고 있다. 유엔, 세계보건기구, 세계백신면역연합GAVI 같은 국제기구뿐 아니라 한국을 비롯한 세계 여러 국가가 동참한 기금을 조성한 뒤 코로나19 백신, 치료제, 진단 제품을 개발해서 모든 사람이 공평하게 이용하는 방안을 모색하고 있다. 빌 게이츠Bill Gates도 새로 개발될 코로나19 백신과 치료제를 공공재로 간주해 필요한 모든 사람에게 적정 가격으로 공급해야 한다면서 세계적 차원의 공동 대응이 필요하다고 역설한다. 도로나 공원 같은 공공재처럼 보건 의료 용품도 인류 공공재로 여겨 모든 사람이 혜택을 볼 수 있게 공평하게 분배해야 한다는 말이다. 이런 국제적 지원과 연대, 협력이 원만히 진행된다면, 우리는 머지않아 코로나19의 공포와 절망에서 벗어나 안정과 희망을 되찾을 수 있다.

더 읽을거리

임마누엘 칸트 지음, 백종현 옮김, 《영원한 평화》, 아카넷, 2013

세계의 영원한 평화를 위해서는 법치 시민사회와 국제연맹을 넘어서 세계 시민사회로 나아가야 한다고 강조한다. 지구상의 모든 사람은 적대적으로 대우받지 않을 권리, 곧 환대의 권리를 세계 시민의 권리로 갖는다고 본다.

피터 싱어 지음, 김희정 옮김, 《세계화의 윤리》, 아카넷, 2003

세계화 시대에는 지구적 차원에서 긴밀한 상호 작용이 일어나고 있기 때문에 국가를 초월한 지구촌의 윤리가 필요하다고 주장한다. 특히 공리주의 관점에서 인류 전체의 고통 감소와 이익 증진을 위해 해외 원조에 적극 나서야 한다고 강조한다.

존 롤스 지음, 장동진 외 옮김, 《만민법》, 동명사, 2017

국제적 정의에 관련해 인권 침해 국가에 관한 국제적 간섭, 고통받는 사회에 관한 해외 원조의 의무 등을 주장한다. 빈곤은 주로 잘못된 정치 제도에서 기인한다고 보면서 해외 원조를 통해 자유주의 체제를 세워야 한다고 말한다.

9장

위험 세계에는 어떤 글로벌 보건 거버넌스가 어울릴까?

조한승

2020년, 오직 현미경으로 볼 수 있는 변종 코로나 바이러스가 전세계를 공포에 빠트리고 그동안 당연히 여기던 모든 일상이 멈췄다. 늘 북적이던 상가는 인적이 드물고, 활기 넘치던 학교는 문을 닫았으며, 답답한 마스크 착용은 필수가 됐다. 여러 나라가 질병의 유입과 확산을 막으려고 국경을 차단하면서 세계화를 상징하는 '지구촌'이라는 말이 무색해졌다.

전지구적 위기 상황이 계속되자 세계화를 상징하는 초고속 교통기술의 발달과 대규모 인구 이동이 코로나19의 원인이라는 지적이 나오고 있다. 사실 글로벌 시대가 가져온 편리함과 풍요로움의 뒷면에는 감염병 확산, 빈부 격차 증대, 문화 갈등, 환경 파괴, 신자유주의의 폐해 등 여러 부정적인 모습들도 존재한다. 이런 세계화의 역설적 현상은 세계화 자체를 부정하거나 거부하는 목소리를 키운다. 심지어 그동안 세계화를 이끈 핵심 행위자인 미국의 도널드 트럼프 대통령은 자국 우선주의를 표방하며 유네스코를 탈퇴하고 자유 무역을 거부하는 등 반세계화 정책을 추진하고 있다.

세계화의 발전과 새로운 글로벌 위기

이런 위기들이 세계화 현상 자체 때문에 발생했다고 단정할 수는 없다. 세계화는 여러 행위자 사이의 상호 관계가 더 빠르고 밀접하며 폭넓게 연결되는 현상을 의미할 뿐 특정 국가나 세력의 이익에 봉사하기 위해 고안된 개념은 아니다. 세계화 현상에서 나타나는 위기는 세계화 과정에서 정책을 만들고 집행하는 인간의 실수나 상황 판단 오류 또는 통제의 실패에서 비롯된다. 게다가 세계화의 여러 가지 기제들이 그런 위기를 극복하는 데 결정적인 구실을 한다는 점에서 세계화를 거부하는 방법은 바람직하지도 않다.

네트워크의 확산과 새로운 위협 요인의 등장

오늘날 세계는 교통과 통신 기술이 발전한 덕분에 거대한 네트워크로 연결돼 있다. 제트 여객기와 초고속 열차를 이용하면 하루이틀 만에 지구 반대편 주요 도시에 갈 수 있고, 저비용 항공사들 사이의 경쟁 덕분에 평범한 대학생도 배낭 메고 해외에서 방학을 즐길 수 있다. 또한 초고속 정보통신 네트워크로 연결된 스마트폰을 거쳐 세계 곳곳의 소식을 실시간으로 접할 수 있으며, 세계 각국의 게이머들이 언어와 관습의 장벽을 넘어 동시에 온라인 게임을 즐길 수 있다.

글로벌 네트워크를 통해 새로운 정보와 문화가 교류되고 상품과 자본이 빠르게 이동한다. 세계화에 따라 정보, 문화, 상품, 자본이 빠르게 대규모로 이동하면서 새로운 가치를 창출한다. 1990년 2조 4000억 달러이던 전세계 공산품 무역량은 2018년 13조 2000억 달러로 5.5배 증가했다. 2005년 한국이 문화다양성협약을 체결할 때만 해도 할리우드 영화가 한국 대중문화를 잠식할까 염려했지만 글로벌 콘텐츠 네트워크에 힘입어 한류가 엄청난 규모의 국제적 시장을

셍겐 조약 1985년 룩셈부르크 솅겐에서 프랑스, 독일, 벨기에, 네덜란드, 룩셈부르크가 맺은 조약으로, 가맹국 사이에 자유로운 이동을 보장한다. 1995년부터 시행된 이 조약에는 2020년 기준 26개 유럽 국가가 참여하고 있다. 가입국들은 공통의 출입국 관리 정책을 채택해 국경 통과 절차를 최소화한다. 일단 조약 가입국에 입국하면 유럽의 다른 가입국으로 쉽게 이동할 수 있다는 점을 이용해 중동과 아프리카 출신 불법 이민자들이 동유럽 국가를 거쳐 서유럽 국가로 이주하는 일이 자주 발생하면서 갈등이 벌어지고 있다.

형성해 많은 자본을 끌어들이고 있다. 사람은 새로운 가치가 창출되는 곳으로 모여들게 마련이다. 더 나은 일자리를 찾아 다른 나라로 향하는 이주민은 1990년 1억 5000만 명에서 2019년 2억 7000만 명으로 1.8배 증가했다. 더 나은 일자리는 여유와 풍요로움을 안겨준다.

세계화가 진행되면서 해외여행을 즐기는 국제 관광객은 1990년 4억 4000만 명에서 2018년 14억 명으로 3.2배 늘어나 단순 해외 이주보다 훨씬 가파르게 증가했다.

글로벌 네트워크의 확대와 상품, 자본, 인구 이동의 증가는 국가들 사이의 경계가 점점 더 희미해지는 현실을 보여준다. 자유 무역이 확대돼 누구나 쉽게 갓 수확한 칠레산 포도를 살 수 있고, 영화 〈기생충〉에 나와 유명해진 한국식 짜장라면은 세계인의 기호 식품이 됐다. 상품과 자본뿐 아니라 사람도 국경선을 넘는 일이 더 쉬워지고 있다. 셍겐 조약Schengen Agreement이 적용되는 유럽연합 국가에 사는 주민들은 여권 검사 없이 다른 유럽연합 국가를 자유롭게 드나들 수 있다. 한국도 해외 여러 나라들을 상대로 비자 면제 협정을 맺어 대한민국 여권만으로 140여 개국에 입국할 수 있다.

글로벌 네트워크가 새로운 가치와 편리함만 확산시키지는 않는다. 글로벌 공동체의 기능과 운영에 위협이 될 수 있는 위험 요인들도 네트워크를 통해 전파된다. 국지적이거나 사소한 위협 요인이 전 지구적인 심각한 위험 요인으로 확대되기도 하며, 과거에 이미 해결된 일로 여겨진 요인들이 다시 등장해 문제를 일으키기도 한다. 또한 특정 분야에만 영향을 미치던 요인들이 네트워크의 여러 단계를 거치면서 질적으로 다른 차원으로 전화돼 완전히 새로운 위험 요인으로 바뀌기도 한다.

2003년 사스는 중국 남부와 홍콩에서 시작돼 잘 발달된 항공 교통 네트워크를 따라 캐나다와 유럽을 거쳐 전세계로 순식간에 확산됐다. 2008년 글로벌 금융 위기는 자본 투자 네트워크를 통해 미국 뉴욕에서 미국 전역, 유럽과 아시아, 그리고 전세계로 확대됐다. 풍요로움을 가져다준 산업의 발전은 엄청난 규모의 화석 연료 소비에 바탕을 두고 있으며, 한편으로는 에너지 수급 위기를, 다른 한편으로는 지구 온난화와 대기 질 악화 같은 환경 위기를 초래하고 있다. 한편 1990년대 동유럽과 아프리카에서 일어난 민족 분쟁과 2000년대 글로벌 '테러와의 전쟁'은 유럽에서 난민 위기와 문화 충돌이라는 새로운 차원의 위기로 전화됐다.

이렇게 세계화의 네트워크를 타고 새로운 위기들이 전파, 확대, 전화되면서 사회 공동체의 질서와 기능을 유지하기 어렵게 만드는 사례가 점점 늘어나고 있다. 코로나19 사태에서 나타난 대로 오늘날의 글로벌 위험 요인들은 충분한 정보와 해결책을 갖지 못한 상태에서 글로벌 네트워크를 따라 순식간에 확대되고 증폭된다. 새롭고 갑작스러운 위험 앞에서 시민들은 공포에 빠지고 정부는 어떻게 손써야 할지 몰라 갈팡질팡하는 사이에 사회의 기본 시스템이 마비되거나 붕괴한다. 마치 대규모 전쟁의 소용돌이에 빠진 듯 생존을 위해 몸부림치게 되고, 때로는 다른 누군가를 희생시키는 비극적 상황이 찾아올 수도 있다.

글로벌 위기 극복을 위한 상호 신뢰와 협력

세계화의 변화만큼이나 세계화가 가져온 위험들도 새롭기 때문에 대비는 부족할 수밖에 없다. 준비되지 않은 위기 상황에 직면해 몇몇 지도자들은 세계화 현상 자체에 원인이 있다고 주장한다. 그리고 그동안 세계화를 촉진하던 정책들을 폐지하거나, 심지어 세계화에 역행하는 정책을 대안으로 제시하기도 한다.

세계화를 반대하는 사람들도 세계화가 가져오는 혜택을 쉽게 포기할 수는 없다는 사실을 잘 알고 있다. 따라서 새로운 위기 상황에서 국가들이 손쉽게 선택하는 대안의 하나는 폐쇄적 세계화gated globalization다. 울타리로 둘러싸여 보안이 철저하고 입주하려면 까다로운 조건을 충족해야 하는 고급 주택 단지를 뜻하는 폐쇄적 공동체gated community에서 파생된 단어다. 달리 말해 자본과 상품의 흐름에 개입해 무역 블록을 형성함으로써 글로벌 수준의 세계화보다는 편협한 국가 이익을 강조하는 전략이다. 결국 세계화가 주는 혜택을 계속 추구하면서 세계화에 들어가는 비용은 줄이겠다는 말이다.

글로벌 금융 위기가 발생하자 미국 등 선진국은 그동안 추진하던 금융 자유화와 자유 무역에 관한 규제를 강화해 자국 경제에 직접 도움이 되지 않고 유지비도 많이 들어가는 정책들을 폐지했다. 아울러 주요 선진국 모임인 주요 7개국G7에 더해 신흥 시장 국가까지 포함된 주요 20개국G20을 형성해서 세계 경제 질서를 유지하는 데 선진국이 진 책임을 분산하고 저개발 지역 경제 개발에 필요한 비용을 분담하는 전략을 도입했다. 금융과 무역 분야의 세계화에서 발생할 수 있는 위험에 대비한 울타리를 쌓고 충격을 분산하는 완충 지대를 만드는 시도였다.

폐쇄적 세계화보다 더 심각한 문제는 세계화 정책이 실패한 원인을 세계화 자체에 돌려 세계화를 부정하고 외부 세력 또는 국내 특정 세력을 악마화하거나 희생양으로 삼는 태도다. 세계화 과정에서 발생하는 여러 문제를 해결하는 데 실패한 집권자가 위기의 조짐을 무시하거나 사태 해결에 실패한 책임을 바깥으로 돌리면서 여론을 호도해 지지율을 높이려 하는 결집 효과rally-round-the-flag effect 정책이 종종 등장한다. 2001년 9·11 테러 뒤 여러 나라에서 다른 민족 출신이거나 다른 종교를 가진 사람을 공동체의 잠재적 적으로 간주해 접촉을 차단하고 추방하거나 폭력을 행사하는 일이 벌어졌다. 미국과 유럽에서 아랍계 이름을 가지거나 터번을 두른 이유로 잠재적 테러

결집 효과 전쟁 같은 위기 상황에서 정치 지도자가 단기적인 대중적 지지를 이끌어내는 현상. 흔히 지지율 하락을 염려한 지도자가 지지 세력을 결집해 정치적 영향력을 높일 목적으로 대외적 위기 상황을 조장하거나 가시적인 외교 성과를 만드는 정책을 추진한다. 이 과정에서 특정 국가를 상대로 관계가 나빠지거나 분쟁이 일어날 수 있으며, 대내적으로는 특정 소수 세력이 희생양이 되기도 한다.

리스트로 간주돼 대중교통 탑승이 거부되고 주택 창문이 깨지는 사건이 일어나기도 했다.

코로나19 사태에서도 여러 나라가 처음 취한 조치는 문을 닫아 걸고 각자도생하는 길이었다. 세계화의 네트워크를 차단해 위기가 자국으로 전파되는 사태를 막으려는 행동이었다. 그리고 위기의 책임을 바깥에서 찾기 시작했다. 심각한 보건 위기를 겪게 된 트럼프 미국 대통령은 이 감염병이 처음 보고된 때 중국 당국이 질병 정보를 감추고 왜곡한 탓에 바이러스가 해외로 퍼져 전세계에 막대한 피해를 준 만큼 중국에 책임을 물어야 한다고 주장했다. 이 과정에서 북미와 유럽에 사는 동아시아계 주민, 유학생, 여행객이 부당하게 차별받거나 봉변을 당하는 일이 속출했다. 피해자 중에는 그 나라 또는 지역 사회의 발전에 기여한 사람도 많지만 그런 점들은 전혀 고려되지 않았다. 단지 생김새가 다르고 문화적 배경이 다르다는 이유로 비난받거나 공격받았다.

탈세계화 주장에도 불구하고 세계화 현상에서 발생한 대부분의 위험과 위기는 특정 국가나 세력이 의도적으로 기획해서 만들어내지 않았다. 따지고 보면 그런 위험과 위기는 정부와 지도자가 세계화의 변화 속에서 적절한 정책을 만들고 집행하는 데 실패한 탓에 발생한다. 이를테면 2008년 글로벌 금융 위기는 글로벌 금융 네트워크 때문이 아니라, 새로운 금융 신기술을 따라가지 못한 각국 정부의 규제 정책 실패와 대형 금융 기업 전문 경영인들의 무책임한 도덕적 해이, 그리고 능력을 벗어난 무리한 대출을 받아 시세 차익으로 한몫 챙길 수 있다는 군중 심리에 빠진 시민의 투기 행태가 원인이다. 글로벌 네트워크가 아니라 그 네트워크를 활용하는 행위자의 문제라는 말이다.

일찍이 버락 오바마 미국 대통령은 말했다. "세계화는 찬성이냐 반대냐의 문제가 아니라 계속해서 진행되는 현상이다. 따라서 질문은 세계화를 부정하거나 멈출 수 있느냐가 아니라 어떻게 대응할 것이냐가 돼야 한다." 글로벌 네트워크 흐름을 차단하거나 거기에서 벗어나려는 접근은 해결책이 될 수 없다. 이미 우리 일상의 많은 부분이 세계화와 글로벌 네트워크를 통해 일어나고 있으며, 다른 나라 또는 다른 지역 행위자들 사이의 상호 의존 관계를 부정하는 행동은 결과적으로 우리 자신의 이익을 거스르게 된다. 더욱이 글로벌 네트워크에서 발생한 문제를 특정 행위자가 단독으로 해결하기란 거의 불가능하다. 오히려 세계화의 맥락 속에서 글로벌 네트워크 안의 여러 행위자들이 관여하는 참여와 협력으로 접근하는 편이 더 바람직하다.

글로벌 네트워크를 통해 다양한 행위자가 참여해 함께 문제를

오리엔탈리즘 원래는 서양의 미술가와 문학가들이 동양 문화에서 영감을 얻어 작품을 만드는 흐름을 가리키는 말이었지만, 1978년 에드워드 사이드(Edward Said)가 《오리엔탈리즘》을 출간한 뒤 정치적이고 사회적인 의미로 널리 쓰이게 됐다. 여기에서 오리엔탈리즘은 18~19세기 식민지 제국주의 시대의 동양 사람과 동양 문화가 서양에 견줘 열등하다고 인식하는 서양인들의 편향적 사고방식을 의미한다. 이런 사고는 아시아나 아프리카 같은 비유럽 세계를 식민 지배하는 유럽인들의 행위를 정당화하는 논리적 기반이 됐다.

해결하더라도 그런 과정이 일방향이면 안 된다는 점이 중요하다. 글로벌 네트워크는 이미 19세기 식민주의 시대에도 존재했지만, 그 시대의 네트워크는 오리엔탈리즘Orientalism에 기반을 둔 일방향 네트워크인데다가 결과도 참혹한 세계 대전이었다. 증기선과 철도로 연결된 식민주의 시대 네트워크가 선진 세계가 후진 세계에 일방적으로 제시하는 '우리처럼like-us' 방식이었다면, 21세기 초고속 통신과 인터넷 시대의 네트워크는 좀더 수평적인 '우리 사이between-us' 방식의 네트워크로 바뀌고 있다. 행위자의 규모가 서로 다르기 때문에 네트워크 내부 행위자 사이의 영향력은 차이가 나겠지만 행위의 화살표는 쌍방향이다. 따라서 특정 행위자가 자기의 가치와 행동 양식을 일방적으로 내세워 문제를 해결하려는 태도는 바람직하지 않으며, 또한 현실적으로 매우 어렵다.

글로벌 보건 위기와 보건 거버넌스

감염병이 확산되는 가장 큰 원인은 인간의 이동과 접촉이다. 코로나19 사태가 일어나지 전에도 인류는 여러 차례 감염병 위기를 경험했다. 13세기에 유럽 인구의 3분의 1을 희생시킨 흑사병은 유라시아 초원의 유목민 전사들과 상인들을 거쳐 유럽으로 전파됐다. 찬란한 아즈텍 제국이 갑작스레 멸망한 원인의 하나는 스페인 정복자들이 퍼트린 유럽발 감영병이었다. 2010년 대지진 뒤 정치적 혼란과 내전을 겪은 아이티에서 1만 명이 넘는 사람이 목숨을 잃은 진짜 위기는 유엔이 파견한 네팔 출신 평화유지군 병사들이 퍼트린 콜레라였다.

글로벌 보건 협력의 이상과 현실

감염병에 대응하려는 국제적 노력도 오래전부터 시도됐다. 19세기에 교통이 발달하고 무역이 증가하면서 콜레라, 황열병, 티푸스 등 감염병이 더욱 빠르게 확산됐다. 식민지와 후진국의 질병이 유입되지 못하게 하려고 1851년 유럽에서 열린 국제위생회의International Sanitary Conference는 세계 보건 협력의 제도적 기반을 마련하는 첫걸음이었다. 그 뒤 1892년 국제위생협정이 체결되고 1903년 국제위생규칙이 만들어져 오늘날 〈국제 보건 규약〉의 기원이 됐다. 1902년 남북 아메리카 국가들이 모여 만든 미주 국제위생기구는 최초의 보건 관련 국제기구였으며, 1948년에 출범해 오늘날 글로벌 보건 거버넌스의 중심을

천연두 퇴치 천연두는 인류 역사에서 가장 심각한 감염병의 하나로, 고열이 나면서 온몸에 발진이 생긴다. 1796년 영국의 에드워드 제너가 소의 발진 물질을 활용하는 안전한 종두법을 개발하면서 천연두 백신이 보급됐다. 세계보건기구는 설립하자마자 각국 보건 당국을 연계해 발병 정보를 교환하는 한편 천연두 백신 개발과 보급 사업을 펼쳐 빠른 속도로 천연두를 박멸했다. 마침내 1980년 세계보건기구는 천연두 완전 퇴치를 선언했고, 이 일은 글로벌 보건 증진을 위해 세계보건기구가 지니는 의미와 중요성 보여주는 대표 사례가 됐다.

떠맡는 세계보건기구의 제도적 근간이 됐다. 이런 노력은 1980년에 그동안 인류를 괴롭혀온 천연두 퇴치를 선언하는 성과로 이어졌다.

글로벌 보건 거버넌스는 보건을 글로벌 공공재로 간주해 다양한 분야의 행위자들이 참여한다. 글로벌 보건 거버넌스에는 각국 보건 당국과 국제기구말고도 국경없는의사회 같은 비정부 기구, 글로벌백신연합GAVI 같은 민관 파트너십, 게이츠 재단 같은 자선 단체 등 다양한 행위자가 참여해 활동한다. 한편 1994년 유엔이 인간 안보 개념을 제시하고 2000년 유엔 새천년개발목표MDGs에 영유아 보건과 산모 보건 등 보건 관련 목표가 대거 포함되면서 유엔개발계획UNDP 처럼 저개발국 대상 원조 사업을 담당하는 개발 원조 행위자들도 글로벌 보건 거버넌스의 중요 행위자가 됐다. 오늘날 글로벌 보건 쟁점은 이주, 환경, 농업 등 다양한 분야에도 연계돼 있다. 이를테면 신약 개발과 의료 기기 개발에 관련된 지식 재산권 분쟁이나 기술 거래 규제도 쟁점이 되면서 세계무역기구 같은 무역과 기술 관련 행위자들의 구실도 커지고 있다.

글로벌 보건 거버넌스가 글로벌 공공재로서 보건 증진을 추구하더라도 거버넌스 내부 행위자들은 보건 증진의 우선순위에 관련해 서로 다른 견해를 가질 수 있다. 이런 차이는 정치적 갈등으로 표출될 수도 있다. 이를테면 1978년 기초보건의료PHC에 관한 알마아타 선언을 채택하는 과정에서 선별적 접근과 포괄적 접근이 부딪쳤다. 결핵, 말라리아, 에이즈 등 치사율이 높은 질병의 치료, 예방, 퇴치를 글로벌 보건의 우선순위로 두는 선별적 접근은 미국 등 서구 국가들이 선호했다. 소련 등 사회주의 국가들이 주장한 포괄적 접근은 누구나 쉽게 질병을 치료받을 수 있게 소규모 병원, 상하수도 설치, 위생 교육 등 사회적 조건을 개선하는 방향을 강조했는데, 제3세계 국가들 다수가 지지했다.

공공재인 보건과 국가 주권이 충돌하는 때도 있다. 2004년 사스 위기를 겪은 뒤 세계보건기구는 감염병 정보를 빠르게 공유하는 문제가 중요하다고 보고 국제보건규칙을 개정하려 나섰다. 국제 사회는 타이완이 세계보건기구 회원국이 아닌 만큼 옵서버 자격을 부여해 감염병 정보 공유 네트워크에 포함시키려 했지만, 중국은 하나의 중국 원칙을 내세우며 강하게 반대했다. 국제 사회의 압력에 밀려 일시적으로 타이완의 옵서버 지위를 인정한 중국은 중국-타이완 관계가 나빠지자 2016년 세계보건기구에 압력을 행사해 타이완의 옵서버 자격을 다시 박탈했다. 2020년 코로나19 사태에 큰 피해를 본 미국은 세계보건기구가 지나치게 중국 편향 정책을 펴고 있다고 비판

하위 정치 정치학의 하위 개념인 상위 정치high politics에 대비되는 개념. 상위 정치가 주로 국가의 생존에 직결되는 군사 안보와 외교 문제를 다룬다면, 하위 정치는 국가의 생존에 직결되지 않는 문제를 다룬다. 전통적으로 하위 정치에는 사회, 복지, 문화, 인권, 보건, 기술 등이 포함된다. 최근에는 상위 정치의 쟁점과 하위 정치의 쟁점이 연결되는 현상이 많아지면서 구분이 희미해지고 있다.

하면서 다시 타이완의 회원 자격 문제를 제기했다.

감염병 유전자를 국가 자원이라고 주장하는 일도 벌어지고 있다. 2006년 에이치5엔1H5N1 바이러스가 변이해 신종 감염병을 일으킬 수 있다는 지적에 따라 세계보건기구는 인도네시아에서 바이러스 샘플을 채취해 미국과 유럽의 연구 기관과 제약 회사를 통해 백신을 개발하려 했다. 그렇지만 인도네시아 정부는 백신을 개발하는 과정에 자국의 이익이 반영되지 않았다고 주장하면서 이른바 '바이러스 주권'을 제기해 샘플을 제공하지 않았다. 이 사건은 생물학적 소유권 문제에 더해 글로벌 보건 거버넌스의 투명성에 관련된 논쟁을 불러일으켰고, 그 결과 2010년 제10차 생물다양성협약 당사자 총회에서 바이러스 샘플 등 생물 자원의 활용에 따른 이익을 공유하는 문제에 관한 합의를 담은 나고야 의정서가 채택됐다.

이렇게 글로벌 보건 거버넌스에는 공공재로서 보건 증진이라는 이상을 공유하는 다양한 행위자들이 참여하고 있지만, 행위자마다 보건에 관한 인식과 이해관계가 조금씩 다르기 때문에 상호 관계가 항상 협력적인 형태로 나타나지는 않는다. 그렇기는 해도 누구나 좀

더 건강한 삶을 바란다는 점에서 보건 분야는 인권과 문화 등 다른 하위 정치low politics 분야보다 상대적으로 협력 가능성이 높다. 인권이나 문화에 관한 쟁점들은 국가나 개인의 기본 가치 또는 정체성에 관한 문제라서 양보와 타협이 매우 어렵기 때문이다.

코로나19와 글로벌 보건 거버넌스의 신뢰성 위기

2019년 12월 30일 중국 우한의 안과 의사 리원량李文亮이 인터넷에 공개하면서 알려진 코로나19 감염병은 순식간에 전세계로 전파됐다. 많은 사람이 감염됐고, 세계보건기구는 3개월여 만에 펜데믹, 곧 최고 수준의 세계적 대유행병이 발생했다고 선언했다. 미국과 유럽 등 많은 나라들은 락다운, 곧 봉쇄를 선언하고 코로나19의 유입과 확산을 막으려 했다. 그렇지만 이 과정에서 몇몇 서구 사람들은 이미 대량 발병 사태가 발생한 아시아 국가들이 질병 확산의 주범이라고 주장했다. 심지어 어떤 이들은 아시아의 식습관, 거주 문화, 사고방식, 정치와 사회 제도를 향해 혐오감을 표출하면서 인종 차별적 행동을 서슴지 않았다.

그렇지만 바이러스 앞에는 인종과 빈부, 정치 이념의 구분이 없다. 글로벌 네트워크가 발달해 좀더 개방적이고 부유한 북반구 선진국에서 더 빠르고 연쇄적으로 감염병이 전파되고 확산됐다. 바이러스 감염을 막는 데 필요한 일은 신속한 검진과 사회적 거리 두기, 철저한 위생 관리이지, 특정한 피부색이나 정치 제도 또는 부유함의 정도가 아니었다.

흥미로운 사실은 북반구 선진국들 사이에서도 코로나19 대응이 서로 다른 모습으로 나타난 점이다. 한국은 발빠른 대규모 검진과 질병 정보 공유, 시민의 자발적인 사회적 거리 두기 등으로 비교적 빠르게 사태를 안정시켰고, 무엇보다 통제와 봉쇄를 최소화하면서도 감염병 확산을 막을 수 있었다. 반면 이탈리아와 스페인 등 몇몇 유럽 국가와 미국에서는 봉쇄를 한 상황에서도 의료보험 체계의 문제점과 노령 인구 관리에서 허점을 드러내면서 많은 희생자를 냈다. 결국 글로벌 보건 위기는 세계화 자체의 문제가 아니라 글로벌 네트워크 시대에 어떤 위기 관리 정책을 만들고 어떻게 운영하느냐에 달려 있다.

미국의 오바마 행정부는 보건 안보의 중요성을 강조하면서 백악관 안에 글로벌 보건안보 대응팀을 설치하는 한편, 감염병 발생 가능성이 높은 저개발국 지원과 보건 정보 수집을 통해 초기에 현장에서 감염병 확산을 차단하는 정책을 폈다. 그렇지만 트럼프 행정부는 전통적 군사 안보와 이민자 억제 정책을 강조하면서 예산 절감을 이유로 보건안보 대응팀을 해체했으며, 미국 질병통제예방센터CDC의 해외 질병 정보 담당 요원을 크게 줄이고 하루 마스크 150만 개를 생산할 수 있는 시설 확충 계획을 취소했다. 그리고 뒤이어 찾아온 코로나19 위기에서 미국은 대혼란에 빠졌다. 미국 사례는 글로벌 네트워크가 보건 위기의 원인이 아니라 네트워크를 운용하는 방식이 핵심이라는 점을 잘 보여준다.

1980년대 에이즈가 보고된 초기에 환자가 급증한 원인의 하나는 이 질병이 주로 성관계를 통해 전파되고 환자들 중에 동성애자가 많은 때문이었다. 에이즈 감염인들은 건전하지 못한 사람으로 보일까 봐 자기를 드러내지 못했고, 일반 시민들도 환자들을 죄악시하는 사이에 오히려 에이즈가 더욱 확산됐다. 그렇지만 질병은 누구에게나 찾아올 수 있으며, 병은 죄가 아니다. 오히려 병에 걸리면 주변에 얼른 알려서 일찍 치료를 받고 다른 사람에게 병을 옮기지 않게 해야 한다. 질병을 감추거나 환자를 비난하는 행동은 결국 모든 사람에게 이익이 되지 않는다.

이런 교훈은 국가 간 관계에도 적용될 수 있다. 많은 사람들은 코로나19 환자가 처음 발생한 때 중국이 의도적으로 정보를 숨기고 왜곡한 탓에 초기 대응에 실패했다고 지적했다. 그렇지만 질병 정보를 숨기는 행태는 중국뿐 아니라 일본을 포함해 서구 국가에서도 나타났다. 몇몇 국가는 보건 정보를 마치 군사 정보처럼 드러내지 않거나 의도적으로 왜곡된 정보를 흘리는 쪽이 바람직하다고 생각한다. 그런 행태는 결과적으로 질병이 걷잡을 수 없을 만큼 확산되는 결과를 초래했다.

정보 차단뿐 아니라 환자가 많이 발생한 나라를 비난하고 경멸하는 행위도 문제 해결에 도움이 되지 않는다. 다른 나라에서 환자가 급증하고 사회가 혼란에 빠지는 모습을 보면서 자기들이 더 우월하다고 믿는 행동은 바보 같은 일이다. 질병의 성격과 확산 경로에 관한 정보와 방역 노하우를 전달받아 신속하게 대응에 나서는 쪽이 훨씬 바람직하다. 또한 다른 나라가 방역을 위해 어쩔 수 없이 출입국을 제한하는 조치를 지나치게 감정적으로 해석해 상대국이 자국을 무시하거나 차별한다고 받아들이는 일도 경계해야 한다. 자존심과 경멸감이 바이러스의 공격을 막아내는 수단이 될 수 없다. 질병 정보를 투명하고 신속하게 공유해 빨리 질병을 차단할 수 있도록 글로벌 네트워크를 활용하는 지혜가 필요하다.

신종 감염병에 대비하고 위기 상황에서 사회 공동체의 기능이 정상으로 회복되려면 보건을 글로벌 공공재로 인식해야 한다. 편협한 국가 이익과 민족적 감정, 또는 국가 지도자의 자존심이 우선돼 신속하고 효과적인 대응을 가로막는 잘못을 저지르는 일이 없어야 한다. 그런데도 코로나19 사태가 진행되는 동안 몇몇 국가가 보여준 모습은 사태를 빨리 해결해 다시 일상으로 돌아가기를 바라는 많은 시민들의 눈살을 찌푸리게 했다. 장기화된 위기 상황을 극복하려는 노력으로 '뉴 노멀'과 '언택트' 같은 말이 쓰이지만, 그렇다고 글로벌 네트워크를 거부하고 다른 나라와 민족을 배타적인 태도로 적대시하는 행동까지 바람직하다고 왜곡하는 설명은 잘못이다.

글로벌 보건 거버넌스의 신뢰성 회복과 세계보건기구

보건 위기 상황에서 일시적인 거리 두기는 피할 수 없다. 그렇지만 이런 거리 두기가 다른 행위자를 향한 배타성이나 적개심으로 이어지는 상황은 경계해야 한다. 정보통신 기술은 물리적 거리 두기를

뉴 노멀과 언택트 뉴 노멀은 2007년 글로벌 금융 위기 뒤 장기 침체 때문에 다른 경제적 기준이 만들어진 데에서 비롯된 경제 용어다. 코로나19 사태가 장기화되면서 비상 상황을 위한 조치가 일상화된 상태를 가리키는 의미로 쓰인다. 언택트는 접촉을 의미하는 '콘택트contact'에 부정 접두어 '언un-'을 붙인 합성어다. 감염병을 염려해 대면 접촉을 피하게 되면서 여러 거래나 소비 활동에서 사람을 접촉하지 않고 키오스크kiosk나 온라인으로 주문해 상품과 서비스를 제공받는 방식을 가리킨다.

하는 상황에서도 정보 네트워크를 통해 얼마든지 서로 의견을 교환하고 더 나은 방안을 모색할 수 있는 방법을 제공한다. 이런 방법을 통해 위기 상황이 만들어내는 집단적 불안감에서 벗어나 다시 정상으로 돌아갈 수 있다는 믿음을 가져야 한다. 사회 공동체의 기본 체계에 관한 기본적인 신뢰성을 회복해야 한다는 말이다.

코로나19 사태 초기에 미국, 일본, 오스트레일리아 등에서 벌어진 화장지 사재기 열풍은 사회 공동체의 기본 체계에 관한 신뢰가 크게 낮아진 탓에 발생했다. 반면 한국 등 몇몇 국가에서는 불안감이 곧 수그러들고 시민들이 자발적 방역에 참여하면서 사태를 빠르게 진정시킬 수 있었다. 마스크 수요가 폭발적으로 증가하는 상황에서도 한국 시민들이 크게 동요하지 않은 이유는 당장이 아니더라도 가까운 시간 안에 마스크를 구할 수 있다는 예측이 가능한 때문이었다. 이런 예측 가능성은 사회의 기본 체계가 안정적으로 기능한다는 신뢰성에 기반을 둔다. 사회 기본 체계가 안정적으로 기능하려면 방역 정보에 신속하고 투명하게 접근할 수 있어야 하는데, 오늘날 발전된 정보 네트워크가 이런 일을 가능하게 한다. 그렇지만 공동체의 이익 증진과 개인의 사생활 보호 사이에서 균형을 찾는 문제도 중요하다는 점에서 그런 네트워크는 기술적 발전뿐 아니라 민주적 시민사회 의식에 바탕을 둬야만 한다.

글로벌 차원의 보건 협력을 위해서도 글로벌 보건 거버넌스의 신뢰성을 회복하는 문제가 절실한데, 이 과정에서 세계보건기구가 하는 구실이 중요하다. 그렇지만 미국 등 여러 국가는 테워드로스 거브러여수스Tedros Ghebreyesus 세계보건기구 사무총장이 코로나19 사태 초기에 감염병 정보를 왜곡한 중국을 두둔하면서 글로벌 위기를 초래했다고 비난했다. 거브러여수스 사무총장은 비난을 일축했고, 급기야 세계보건기구에 가장 많은 분담금을 내는 미국이 관계 단절을 선언하면서 글로벌 보건 네트워크의 신뢰성이 크게 훼손됐다. 보건 위기를 해결하려면 거버넌스 행위자 사이의 협력과 공조가 반드시 필요한데도 국가들은 각자도생에 나서 서로 비난하고 국제기구는 중심을 잡지 못하는 난맥상이 드러나고 있다.

세계보건기구의 신뢰성에 의문이 제기된 배경에는 여러 이유가 있지만 무엇보다 사무총장 선출 과정을 둘러싼 불만이 컸다. 2012년에 사무총장 선출 방식이 집행이사회 중심 선출에서 총회 중심 선출로 바뀌었다. 총회는 1국 1표제가 적용되기 때문에 선진국의 영향력보다는 개발도상국의 집단적 실력 행사가 더 강조된다. 2017년 사무총장 선거에서는 에티오피아 외교관 출신의 거브러여수스가 영국 출신 감염병 전문가 데이비드 나바로를 큰 차이로 누르고 당선했다.

미국과 유럽 국가들은 보건 전문성을 강조하며 나바로를 지지했지만, 아프리카와 동남아시아 등 저개발 국가들과 중국은 거브러여수스를 지지했다. 중국은 일대일로 정책을 펴면서 에티오피아를 포함한 여러 아프리카 국가에 많은 자금을 개발 원조로 제공했고, 거브러여수스 사무총장은 저개발국에 관련된 중국의 보건 원조 정책을 옹호했다. 미국 등 선진국은 세계보건기구가 거브러여수스의 리더십 아래에서 중국의 개발 원조 자금에 휘둘려 친중국 정책을 편 결과 코로나19에 뜨뜻미지근한 태도를 보인 바람에 팬데믹을 사전에 차단하지 못한 듯하다고 의심했다.

세계보건기구는 그동안 천연두 퇴치, 말라리아 예방, 담배 규제 등 인류의 보건을 증진하기 위해 많은 노력을 했고, 지금도 글로벌 보건 거버넌스 네트워크의 중심에 있다. 세계보건기구가 이런 구실을 올바르게 수행해야만 지금의 보건 위기 상황을 극복하고 언제든 또 발생할 수 있는 새로운 보건 위기에 적절히 대처할 수 있다. 감염병 대응에 필수적인 질병 정보와 방역 정보를 신속하고 투명하게 교류하고, 효율적인 의료 자원을 투입하고, 백신과 치료제를 개발하려면 글로벌 보건 네트워크가 정상 작동해야 하며, 글로벌 보건 위기 상황에서 다양한 행위자 사이의 이해관계를 조정하고 조율해야 할 세계보건기구의 신뢰성이 회복돼야 한다. 세계보건기구를 둘러싼 정치적 의혹과 불투명한 인사 정책 등 불신을 초래하는 요인들이 제거되고 보건 전문성이 우선돼야 한다.

그렇지만 세계보건기구를 상대로 관계를 단절하겠다는 트럼프 대통령의 태도 또한 인류 공동의 문제인 글로벌 보건 위기를 해결하기 위해 초강대국 미국이 보여야 할 글로벌 리더십을 외면하는 행동이며, 미국 시민의 보건과 방역을 위해서도 결코 바람직하지 않다. 가장 많은 물질적 기여를 제공하는 미국이 관계를 단절한다면 세계보건기구의 기능에 큰 차질이 생기게 되고, 그런 사태는 글로벌 보건 안보와 보건 협력에 상당한 큰 타격을 미친다. 미국 또한 세계보건기구 중심으로 형성된 보건 협력 네트워크에서 얻는 많은 이익과 혜택을 포기해야 한다. 세계보건기구를 제외한 새로운 보건 협력 네트워크를 미국 또는 소수 행위자가 새롭게 구성하는 방안은 너무 많은 비용을 초래한다. 따라서 세계보건기구와 여러 나라들은 현재의 글로벌 보건 협력 네트워크가 건전하게 작동하는 방향으로 행위자 사이의 신뢰성을 높이는 방안을 모색해야 한다.

코로나19가 북반구 선진국을 강타하고 남반구 저개발국으로 빠르게 확산하는 상황에서 세계보건기구를 중심으로 한 글로벌 보건 거버넌스의 구실이 더욱 중요해지고 있다. 저개발국들은 보건 역량이 취약하기 때문에 선진국보다 더 큰 피해를 받을 수 있으며, 이미 몇몇 개발도상국에서는 인명 피해가 눈덩이처럼 커지고 있다. 저개발국들이 코로나19 대응에 실패한다면 북반구 선진국에 '2차 웨이브'가 밀려올 수 있다. 국제적인 지원과 협력이 절실히 필요하다. 위기 상황에서 선진국들이 보이는 각자도생의 행태와 세계보건기구의 신뢰성 위기를 하루빨리 해소하기 위해 인류는 다시 한 번 지혜를 모으고 행동에 나서야 한다.

글로벌 보건 협력과 한국

한국은 산업화를 거치면서 전국민 의료보험 도입, 예방 접종과 구충 사업 등 국민 보건 수준을 선진국 수준으로 높였다. 또한 2015년 메르스 위기를 겪으면서 보건 위기에 관련된 집단적 불안감과 불신 때문에 기본적인 사회 체계가 마비되지 않도록 관련 규칙과 정책을 마련했다. 그 결과 감염병 대응 주체를 질병관리본부KCDC로 일원화해 위기 관리 체계를 갖추고, 투명하고 신속한 질병 정보 공개를 통해 시민들이 공포에 사로잡히지 않고 자발적으로 방역에 참여해 위기를 극복했다. 한국의 사례는 보건 위기 상황에서 배타적인 접근보다는 네트워크의 장점을 최대한 활용해 신속하고 투명하게 정보를 교환해 사회 성원 사이의 신뢰를 회복하는 일이 얼마나 중요한지를 잘 보여준다.

한국의 경험은 개방형 방역 접근법이 보건 위기에 대응하는 데 효과적이라는 사실을 입증할 뿐 아니라 앞으로 글로벌 보건 협력 거버넌스에서 한국이 중요한 구실을 할 수 있는 역량을 갖춘 점을 보여준다. 이런 경험을 바탕으로 한국은 동아시아 보건 협력 거버넌스를 수립하는 과정을 주도해야 한다. 특히 백신과 방역 장비 스와프, 검역 상호 인증제, 감염병 핫라인, 고령화 공동 대응 등 동아시아 국가들이 관심 있는 분야에서 협력할 수 있게 주변국을 설득해야 한다. 동아시아 국가들 사이에는 역사적 쟁점과 민족적 자존심 대결이 걸림돌로 남아 있지만 보건 쟁점에 관한 대화와 협력은 시민의 생명과 건강에 꼭 필요한 요소이기 때문에 외면하거나 늦출 수 있는 문제가 아니다. 오히려 보건 쟁점에 관한 대화는 각국이 불편해하는 쟁점들을 우회해 상호 신뢰를 회복하는 단초를 마련할 수 있다.

마지막으로 한국은 저개발국에 방역 장비와 기술을 지원하는 데 좀더 적극적으로 나서야 한다. 앞서 말한 대로 남반구 저개발국의 취약한 의료 환경이 개선되지 않으면 그런 상황의 후과는 한국을 포함한 북반구 선진국으로 돌아오게 된다. 따라서 한국은 글로벌 보건 거버넌스의 중요 행위자로서 저개발국을 대상으로 하는 다양한 보건 개발 협력 사업을 발굴하는 한편, 이런 사업을 글로벌 보건 의제로 개발해 여러 선진국의 동참을 이끌어내야 한다. 글로벌 보건 거버넌스에서 한국의 위상이 높아지면 소프트 파워 차원에서 국력 증진에도 도움이 된다. 이 과정에서 반드시 필요한 요소는 위기 상황에서 각자도생만 모색하는 편협한 사고방식보다는 보건이 글로벌 공공재로서 모든 글로벌 시민을 위해 중요하다는 인식이다.

포스트 코로나 글로벌 시민사회

'위기'를 뜻하는 영어 단어 '크라이시스crisis'의 어원은 질병에 걸린 환자가 사느냐 죽느냐 하는 고비에 놓여 있다는 뜻을 가진 그리스어 '크리네인krinein'이다. 코로나19 위기에 놓인 지구촌 시민들의 상황이 바로 여기에 꼭 들어맞는다. 치명적인 질병 앞에 선 글로벌 시민사회는 글로벌 네트워크의 지속적 발전이냐 아니면 각자도생과 탈세계화이냐 하는 기로에서 혼란스러워하고 있다. 세계화와 글로벌 네트워크가 감염병이 빠르게 확산하는 데 영향을 미친 사실은 맞지만, 서로 관계를 단절하면서 상대방을 경계하고 적대시한다고 해서 감염병은 결코 물러나지 않는다. 당장은 물리적 거리 두기를 피할 수 없지만 그런 상황은 일시적일 뿐, 오히려 글로벌 네트워크를 통한 정보의 교환과 상호 이해를 바탕으로 치료법과 백신을 개발해 보급함으로써 감염병을 극복하고, 궁극적으로는 더 복잡하고 깊이 있는 네트워크가 발전할 수밖에 없다.

미지의 감염병을 향한 두려움이 합리적 판단을 할 수 있는 인간의 능력을 빼앗을 수는 없다. 합리적 판단이란 자기 자신에게 무엇이 이익이 되는지를 따질 수 있는 능력이다. 질병을 극복하려고 혼자 싸울지 아니면 함께 싸울지를 비교해보면 어느 쪽이 장기적으로 더 이익이 되는지 쉽게 판단할 수 있다. 코로나19가 아무리 위력을 떨치는 감염병이라고 해도 13세기 흑사병처럼 결국에는 극복될 수밖에 없다. 흑사병 위기를 극복한 인간이 14세기 르네상스 시대를 열었듯이, 코로나19 위기를 극복한 글로벌 시민사회는 더 발달된 글로벌 시대를 만들어낼 수 있다.

우리는 이 위기 상황에서 감염병 극복뿐 아니라 그 뒤 새롭게 발전하게 될 글로벌 시민사회의 밑그림을 준비해야 한다. 그 밑그림은 글로벌 네트워크가 원활하게 작동하면서 새로운 아이디어가 충만하고 다양한 행위자가 더 창조적으로 활동해 새로운 가치가 창출되는 모습으로 나타나게 되리라. 그렇지만 그런 미래는 특정 국가나 개인이 아니라 상호 이해와 신뢰를 바탕으로 모든 글로벌 시민이 노력해야만 만들어질 수 있다.

더 읽을거리

리처드 페인 지음, 조한승 옮김, 《글로벌 이슈 — 정치·경제·문화》(제5판), 시그마프레스, 2017

민주화, 인권, 글로벌 금융부터 인구, 이주, 감염병에 이르기까지 다양한 분야에서 일어나는 세계화 현상을 신문 기사, 도표, 사례를 활용해 설명한다. 글로벌 시민사회 일원으로서 독자가 토론할 수 있는 쟁점도 소개한다.

유네스코 아태교육원 엮음, 《국제기구 총서》 1~10, 오름, 2013~2015

한국 정부의 재정 지원을 받아 유네스코 아태교육원이 제작한 국제기구 교과서다. 유엔과 유네스코 같은 전문 기구와 아세안과 유럽연합 등 지역 기구에 이르기까지 다양한 분야의 국제기구를 소개한다.

김상배·신범식 엮음, 《동북아 신흥안보 거버넌스》, 사회평론아카데미, 2019

인공 지능, 환경, 보건, 사이버, 에너지, 난민 등 요즘 국제 무대에서 주목받는 쟁점을 신흥 안보 개념으로 설명한다. 강대국 중심의 힘 관계에 기반한 전통적 안보 개념을 넘어 신흥 안보 쟁점을 둘러싼 행위자 상호 관계, 규범, 규칙, 거버넌스 등을 다룬다.

5장 낙인, 혐오, 배제라는 팬데믹은 극복할 수 없을까?

미셸 푸코. 2011. 오트르망 옮김, 《안전, 영토, 인구 — 콜레주드프랑스 강의 1977~78년》. 난장.

조르조 아감벤. 2008. 박진우 옮김. 《호모 사케르 — 주권 권력과 벌거벗은 생명》. 새물결.

존 톰린슨. 2004. 김승현, 정영희 옮김. 《세계화와 문화》. 나남출판.

최종렬. 2016. 《다문화주의의 사용 — 문화사회학의 관점》. 한국문화사.

Anthony D. Smith. 1986. *The Ethnic Origins of Nations*. Oxford: Blackwell.

Georg Simmel. 1950. "Sociability: An Example of Pure, or Formal, Sociology." *The Sociology of Georg Simmel*. Glencoe, IL: The Free Press. pp. 40~57.

Jeffrey C. Alexander. 2006. *The Civil Sphere*. Oxford: Oxford University Press.

Roland Axtmann. 2004. "The State of the State: The Model of the Modern State and Its Contemporary Transformation." *International Political Science Review* 25(3). pp. 259~279.

6장 미디어는 어떤 감염병에 걸려 있을까?

강석현·박건희·최지현. 2019. 〈위기이력과 위기 커뮤니케이션 전략에 따른 수용도 분석: 조직 내 위기이력과 타 조직의 위기이력에 대한 비교〉. 한국PR학회 2019년 봄철 정기 학술대회, 169~191쪽.

송동근·민귀홍·진범섭. 2016. 〈공중보건 위기 상황 시 정보 정확성과 정보 적절성이 정부 신뢰와 만족에 미치는 영향〉. 《홍보학연구》 20(2). 61~90쪽.

유현재. 2020. 〈한국과 미국의 코로나 보도, '단골 소스'가 주는 차이〉. 《더피알》 2020년 4월 21일.

이현우·손영곤. 2016. 〈국내 위기관리 커뮤니케이션 연구에 대한 메타분석〉. 《홍보학연구》 20(3). 139~172쪽.

최보율. 2017. 〈신종 감염병에 의한 공중보건위기의 대비와 대응〉. 《대한의사협회지》 60(4). 290~291쪽.

한국기자협회보. 2020. 〈기자 3단체, 감염병 보도준칙 제정: 전문, 7가지 기본원칙, 권고 사항 등 담아〉. 《한국기자협회보》 2020년 4월 28일.

7장 멀티플 팬데믹 시대, 교육은 무엇을 해야 할까?

교육부. 2020. 〈2020년 학생건강증진 정책방향〉. 1~146쪽.

김선영. 2009. 〈홈스쿨러와 일반학생의 사회성 비교를 통한 홈스쿨링의 가능성과 한계〉. 한국교원대학교 석사 학위 논문.

김현숙·정희영. 2020. 〈국내 홈스쿨링 관련 연구 동향분석〉. 《신앙과 학문》 25(1).

유네스코 아시아태평양 국제이해교육원. 2014. 《글로벌시민교육: 새로운 교육의제》. 한림출판사.

최정재. 2009. 〈홈스쿨링 지원을 위한 U-mentoring 교육 시스템 모형연구〉. 건국대학교 박사 학위 논문.

Altmann, A., B. Ebersberger, C. Mössenlechner, and D. Wieser. 2019. *The Disruptive Power of Online Education: Challenges, Opportunities, Responses*. Emerald Publishing.

Burke, L. 2020. "Three ways in which the COVID 19 pandemic will affect education in the 21st century." https://independentresearcher.academia.edu/LawrenceBurke.

Castle, S. R. and C. J. McGuire. 2010. "An Analysis of Student Self-Assessment of Online, Blended, and Face-to-Face Learning Environments: Implications for Sustainable Education Delivery." *International Education Studies* 3(3).

Internet World Stats. 2020. "World Internet Users and 2020 Population Stats." https://www.internetworldstats.com/stats.htm.

Kekić, D. and S. Miladinović. 2013. "Functioning of educational system during an outbreak of acute infectious diseases." https://www.researchgate.net/publication/309728224.

Mahaye, N. E. 2000. "The Impact of COVID-19 Pandemic on South African Education: Navigating Forward the Pedagogy of Blended Learning." https://www.researchgate.net/project/The-Impact-of-COVID-19-Pandemic-on-South-African-Education-Navigating-Forward-the-Pedagogy-of-Blended-Learning-dagogy.

Muirhead, W. D. 2000. "Online education in schools." *International Journal of Educational Management* 14(7).

Rohs, M., and M. Ganz, 2015. "MOOCs and the claim of education for all: A disillusion by empirical data." *International Review of Research in Open and Distributed Learning* 16(6).

UNESCO. 2020. "Education: From disruption to recovery." https://en.unesco.org/covid19/educationresponse.

UNICEF. 2020. "UNICEF and Microsoft launch global learning platform to help address COVID-19 education crisis." https://www.unicef.org/press-releases/unicef-and-microsoft-launch-global-learning-platform-help-address-covid-19-education.

8장 국제적 보건 의료와 세계시민주의는 어떻게 결합할까?

손철성. 2008. 〈해외 원조의 의무에 대한 윤리적 고찰〉. 《윤리교육연구》 제17권. 한국윤리교육학회.

손철성. 2015. 〈세계시민주의와 칸트의 '환대' 개념〉. 《도덕윤리과교육》 제48호. 한국도덕윤리과교육학회.

아리스토텔레스. 2006. 김재홍·강상진·이창우 옮김. 《니코마코스 윤리학》. 이제이북스.

이매뉴얼 월러스틴. 1986. 배손근 옮김. 《역사적 체제로서의 자본주의》. 나남.

임마누엘 칸트. 2013. 백종현 옮김. 《영원한 평화》. 아카넷.

자크 데리다. 2004. 남수인 옮김. 《환대에 대하여》. 동문선.

제러미 벤담. 2013. 강준호 옮김. 《도덕과 입법의 원칙에 대한 서론》. 아카넷.

존 롤스. 2003. 황경식 옮김. 《정의론》. 이학사.

존 롤스. 2017. 장동진·김기호·김만권 옮김. 《만민법》. 동명사.

피터 싱어. 2013. 황경식·김성동 옮김. 《실천윤리학》. 연암서가.

9장 위험 세계에는 어떤 글로벌 보건 거버넌스가 어울릴까?

김상배·신범식 엮음. 2019. 《동북아 신흥안보 거버넌스》. 사회평론아카데미.

리처드 페인. 2017. 조한승 옮김. 《글로벌 이슈 — 정치·경제·문화》(제5판). 시그마프레스.

앤드루 존스. 2012. 이가람 옮김. 《세계는 어떻게 움직이는가 — 세계화를 보는 열한 가지 생각》. 동녘.

외교부. 〈해외안전여행〉. http://www.0404.go.kr.

조한승. 2014. 〈글로벌 보건 거버넌스의 역할과 도전 — 정치적 쟁점 사례를 중심으로〉. 《평화학연구》 제15권 4호.

조한승. 2018. 〈동아시아 보건안보의 쟁점과 협력〉. 《한국동북아논총》 제23권 4호.

조한승·김도희·조영태·김동식. 2015. 《국제기구와 보건·인구·여성·아동 — WHO·UNFPA·UN Women·UNICEF》. 오름.

찰스 케글리, 섀넌 블랜턴. 2015. 조한승·황기식·오영달 옮김. 《세계정치론 — 경향과 변환》. 한티미디어.

Nye, Joseph S. and John D. Donahue(eds.). 2000. *Governance in a Globalizing World*. Washington DC: Brookings Institution Press.

Obama, Barack. 2005. "Speech at the AFL-CIO National Convention"(July 25).

Schirato, Tony and Jen Webb. 2003. *Understanding Globalization*. London: Sage.

United Nations World Tourism Organization. "World Tourism Barometer — Nov 2019." www.unwto.org/world-tourism-barometer-2019-nov.

United Nations. Population Division. "International Migration." https://www.un.org/en/development/desa/population/migration/index.asp.

World Trade Organization. "Documents and Resources." https://www.wto.org/english/res_e/res_e.htm.